残花亭日暦

田辺聖子

残花亭日暦

‥目次

はじめに……7
二〇〇一年（平成十三年）
六月……13
七月……45
八月……59
九月……90
一〇月……112
一一月……149
一二月……174

＊二〇〇二年（平成十四年）
一月……………206
二月……………252
三月……………258
＊日記という形で伝えたかったこと
林真理子……………263

Zankatei Nichireki

はじめに

日記というものは、なぜか〈愉《たの》しかりし年月〉のことは書かず、〈面白からざる歳月〉〈憂憤《ゆうふん》晴れやらぬ日々〉〈志を得ずして快々《おうおう》失意の累日《るいじつ》〉について熱意こめて書くようである。

かの王朝の『蜻蛉日記《かげろうにっき》』を見てもわかる。筆者の〈妻〉は夫の不実を責め、夜離《よが》れを嘆き、怨《うら》み、愁訴して倦《う》まない。王朝の貴顕紳士は複数の妻を持ち、愛人を持つのが習いの上に、夫の藤原兼家《ふじわらのかねいえ》は大物政治家への道をひた走っている途中である。人生多事多端、それにしては、妻に対してよくやっているほうだ、と千年後の読者たるわれわれとしては思うのだが、妻としては（もっと、もっと）になるらしい。綿々たる怨み、不足ばかり綴《つづ》る。それでも彼女の出産や、母の葬儀のときの夫の尽力、そして時たま、ないでもなかった和合の折々の思い出も、さすがに書きとどめてはいるけれど、そういう部分はまあメモ風で簡単なもの、二、三行でそっけなく片付けているのはおかしい。

どうも女の日記というのはその傾向がないでもないようだ。

といいつつ私の日記も仕事メモ兼・業務連絡帳風である。日々の感懐を書きとどめる時間もエネルギーもない、というところだ。(感懐を持ったら、それをすぐ小説やエッセーに書いてしまうという、かなりいそがしい人生を私は送っている。甕《かめ》に仕込んで醱酵《はっこう》させ、芳醇《ほうじゅん》な美酒になるのを待つとか、在庫豊富を誇る、などという悠々たる営業方針ではないわけである)

ただし、業務連絡帳のほかに、もう一つ私は、

「よいことばかり　あるように日記」

というのを作っている。これは二十年日記である。(市販のものでは十年日記というのがあるけれど)もう十五、六年前になるが、私はあるとき、ハタと考えた。どう

やら『蜻蛉日記』風に、〈毎日快々人生〉になっているんじゃないかと思い、いいことだけ書く日記を作ろうという気になった。

ちょっと厚手の、装幀《そうてい》に子熊のイラストなんかのある美麗ノートを買ってきて、全ページを二十に分けて二十年日記にした。楽しかった旅行やパーティの写真、押花、スケッチ、観劇のチケットなんか貼ってある。〈今日、○○さんが、今月号の△△の××はよかったね、とほめてくれた〉なんて仕事でうれしい思いをしたこともぬからず、書いてある。

〈意外に、というか、当然というか、〈今日のおせいさんはキレイだね〉なんておいしい言葉は書かれていないのは淋《さび》しいが〉

それは私が五十六歳のときのことであった。で以《もっ》て、あと二年で二十年日記は完結の予定である。

今回、私にとってははじめての〈日記〉という表現の場を与えられたので、出来るだけ『蜻蛉日記』風でなく業務連絡帳風でもなく、〈よいことばかり　あるように日記〉でもなく、書いてみようと思う。

ただここでちょっとあらかじめおことわりを、というのは、ウチには夫、私の老母のほかパート夫人(日替りメニューの如く、三、四人に日をかえて交替に来てもらっている)、アシスタントのミド嬢のほか、ぬいぐるみが大小いっぱいいる。

これらが名と性格をもっていて、しゃべりまくるからうるさいったら、ない。

等身大のスヌーピーはウチの長男、ということになっているが、総領の甚六《じんろく》で、おっとりしている。昔はやんちゃであったが、長年の間に、弟分や若い衆が多く出来たので、自然に貫禄《かんろく》ができ、おっとりながら若い衆をたしなめたり統率したりするようになって、いわば次郎長一家の大政《おおまさ》、というところだ。

チビは中くらいのスヌーピーで、これが口から先に生れたようなやつ。私のすることにもあれこれ干渉する。

パリ生れで美貌《びぼう》を誇る白い犬、アマ。これはプードルっぽい。茶色の耳のたれたデコ。どちらも〈エエ恰好《かっこ》しィ〉と思われている。

コリーのコビイ。気弱でおとなしく、従順。

エアデール・テリアを模したらしいカッちゃん。これは森の石松風に元気いい若衆。

——というわけで、これらがしゃべりまくるから、わが家は一日中、かしましいのである。

残花とは散りのこった桜をいうが、〈姥《うば》〉というひびきよりはいくらかはまだ匂わしいだろうとつけた号で、べつに深い考えあってのことではない。しかしミド嬢にいわせると、女は生きているうちはいつも花盛りなのだから、自分から散りのこり、なんていうことないじゃありませんか、と不服そうである。

そういえば、昔は婚期を逸した女をさして〈嫁《い》きおくれ〉なんていう言葉があった。女の子が大学を出て仕事が面白くて結婚をする気なんかない、というと、親も身内も、そんなことでは〈嫁きおくれ〉になる、なんて心配したものだ。現代は殆《ほとん》ど死語だろう。婚期は生涯にわたり、いろんな生き方もあると、女を見る社会の目も寛容になっている。

「遠山の斑雪《はだれゆき》かな　散りのこり　嫁きおくれする女いろいろ」

これは短歌なんてご大層なものでなく、まあいうなら、〈七五調独白〉というようなものだ。私は日記の欄外にこんなのを書く癖がある。

もう一つ。今年、平成十三年の六月は、私にとって超多忙の月であった。だいたいまあ、今までの人生、みやびな閑暇には縁遠いが、この六月ばかりはあさましくも、めざましかった。人生で劃期《かっき》的な日々、といってよかった。で、六月の日記から筆を起すことにする。

残花亭主人敬白

二〇〇一年六月一日（金）

林真理子《まりこ》さんが、ウチまで来て下さって、「週刊朝日」のための対談。というのは、こんど私が『姥《うば》ざかり花の旅笠《たびがさ》』（集英社刊）を出したので、そのことについて——とのこと。これは嬉《うれ》しい。というのも、この本は天保《てんぽう》末年の女たちのお伊勢《いせ》まいり道中記なのだが、私の小説ではない。記録者は実在の人物で、筑前《ちくぜん》の国、底井野《そこいの》村の小田宅子《いえこ》さんという豪商の内儀《おかみ》である。五十三歳の正月、同じような商家の寡婦、桑原久子五十一歳、あと同年輩の主婦二人を伴い、供の男三人を従えて、五か月間、八百里の旅をするのである。お伊勢さんばかりか、善光寺、日光まで参詣《さんけい》を果し、お江戸、京、大坂見物もして、全員七人うちそろって、機嫌よく帰郷している。

私は縁あってその稿本（手書きした本）のコピーを見せてもらい、これをみな人が読みやすいように書いてもらえないだろうかと頼まれ、五十女《いそじ》一行の旅行記というのに興をそそられて引きうけた。なんて元気な人だろうと感じ入ったのと、この宅子さん・久子さんが、郷里の国学者にして歌人、伊藤常足《つねたり》の門人で、二人とも歌を能《よ》くする教養人だったからだ。

といって、かたくるしいインテリではない。

九州女らしく陽気で闊達《かったつ》な言動で、その歌も、平明だが生気溌剌《はつらつ》として好もしい。

俳優高倉健さんの五代前の人、ということも、話題の一つ。いまに残された宅子さん夫妻の肖像を見ると、宅子さんはまことに美しい中年婦人に描かれている。

現代の五十代六十代も元気で行動力に富むから、よき示唆を与えるのではないか、——と出版元は期待しているが、林さんも同じ意見だった。

林さんとは直木賞選考会でいつも顔を合せ、かつ、もっと前にもウチへいらしたことあり、一晩は泊っていかれたこともある。

私は、この本はずいぶん楽しんで書いたわ、といった。宅子さんの行程、歌枕の地も多く、また調べてはじめてわかった関連の歴史、民俗もあったから……それに原本の欠落部分、自由自在に小説家の特権で、想像をふくらませたり、色を塗ったりできたから、といったら、林さんはうなずき、そう、そこんとこが読んでても面白かったわ、といってくれた。〈女同士の旅だからじゃない？　成功したのは。亭主だったらすぐケンカになってるわ、あたし、ヨーロッパへいっておっちゃんとケンカしてしまった〉と私がいうと、林さんも、そうよン、ウチももう二人で旅行するのはやめようと主人と誓ったわ——と笑っていた。

だいたいの対談が終ると雑談になり、同業者のこととて、いまは本が売れないわねえ、という話になる。真理子チャンにいわせると、私は本のいちばん売れた昭和五十年代六十年代にうーんと本を売って売り逃げした、とうらやましがったので笑ってしまった。

ショートケーキを出したけど、真理子チャンは手をつけなかった。あとで、ミド嬢と、しまった、といいあう。〈ダイエットしてらしたのかもしれません。申しわけないこと、しちゃいました〉とミドちゃんは恐縮する。ほんとだ、林さん、すらりと美しくなってらしたものね。林さんのおみやげは白いTシャツで、お揃いとのこと。うれしい。

仕事だけど、クラスメートに久々に逢《あ》えたような、たのしい一日だった。

六月二日（土）

暑いせいか、パパはあまり機嫌よくなく、一日テレビの前に坐《すわ》っている。母は昼寝ばかり。老いると赤子に帰るのかもしれない。しかし起きてるときは元気なんてものじゃなく、ちょっと新聞を持っていくのがおくれると、〈この家には新聞というものはないのですか〉と皮肉をいい、老眼鏡をかけて、更に大きい天眼鏡をふりかざし〈社説〉なんて読んでる。

可愛くない。

庭の鉄線、紫と白ともに咲く。今日植木屋さんが入り、お隣との境のヒマラヤ杉をさっぱりと短く刈りこんでくれた。

六月三日（日）

出版社にいわれて百冊、例の『姥ざかり花の旅笠』にサイン、いそがしい日。

コビイのふさふさしてるはずの毛が埃《ほこり》で固まってねずみ色になっているのでY夫人にたのんで洗ってもらう。真っ白になった。湯あがりタオルで水気をふかれ、庭のテーブルで干されることになった。逆さまに仰向けられてる。

「洗われて四肢天に向け干されおり　静かに目つむるコビイはやさし」

この子は運命に逆らわないおとなしい子だ。

〈見ろ、あのざま〉なんてあざけるのは、生意気なアマ、デコ、チビたちである。

「あんな目にだけはあいたくないと騒ぐ　アマ・デコ・チビら　見栄っぱりども」

明日の講演の準備をして十一時就寝。

六月四日（月） 晴

京都日航ホテルで講演、「『源氏物語』の魅力」、このタイトルで各所で話しているが、少しずつ内容は変えているものの、要は、「源氏」の凄さである。千年前にこんな近代的小説が女流の手に成ったということは信じられない。でも実際に書かれ、以後の日本文化の原型をかたちづくり、日本文学をリードしてきたのだ。圧倒的な存在感。鬱然《うつぜん》たる民族の財産である。

厖大《ぼうだい》で深遠な作品だけに、どこから、どのようにも話ができるのはたのしい。

それと、最近、気付いたのだが、――肉声で「源氏」を語ると、私自身がいままで思いも染めなかった細部の意味が生彩を帯びて顕《た》ってくる。なるほど、そうだったのか、――と自分でもわかったり、する。人間がみずからしゃべり、その肉声を聞いてもらうという、ナマ身同士の交歓は、個人的な読み書きの営為と違った、新しい発見と感動をもたらす。

三百人あまりの聴衆が、一時間半ものあいだ、身じろぎもせず聞いて下さる、――というのは、これはもう、一種の陶酔境である。私は『源氏物語』の研究家でも専門家でもないが、小説書きだから〈語り部《べ》〉にはなりたい、と思っている。

いわば、物語の〈絵解き〉だ。

絵は、聴衆のあたまの中に想像でくりひろげられる、さまざまのシーンである。

語り部は聞き手のイメージを喚起して、物語の光明遍照《こうみようへんじよう》十方世界へ案内し、歓喜《かんぎ》踊躍《ゆやく》させなければならない。(力あれば)もとより私は役者さんではないし、演出家の助けを借りるわけでもなく、ただ語るのみだが、時折、〈小説家〉の感想、批評をその中へ挟む。

その中で、もっとも大切なのは、〈自分がほんとうにその作品が好きで惚《ほ》れこんでいること〉ではないかしら。その思いが聴衆の感情と共鳴すると、会場すべての人と共に、オーケストラを合奏している感じになる。五、六年前に講演を始めたころは、こんな境地は思いもしなかった。でも、いまはさまざまの可能性を信じられるようになった。（尤《もっと》も波長が合いすぎて、一人二人、心地よさそうに舟を漕《こ》いでいられるという報告もあるけど）

今日は作者の紫式部の目で物語を語り、新機軸を出そうとした。終って知人の女性二、三人にあう。京都在住の人たちだからかけつけてくれたのだ。京都大丸のレディースサロンの主催だから、みなさん女性ばかり。永田萠《もえ》さんも来ていらして恐縮する。京都の友人からお花を頂く。

帰途のタクシーの中で、アシスタントのミドちゃんは、今日のは趣向がかわって面白かったです、とほめてくれた。そうかい、そうかい。私は嬉しい。ミド嬢が他人でよかった。身内の人間がアシスタントになっていたら、（たとえば男性作家なら妻を助手になさるとか、女流作家なら母や姉妹を使うとか）たいてい歯に衣《きぬ》きせぬ批判をするだろう。骨肉の情《じょう》としては本人のためを思えばこそ、面《おもて》を冒して批判諫言《かんげん》するというのであろうが、お家騒動の暗君と忠臣じゃあるまいし、物書きはたいてい（特に私の場合）、うぬぼれと水分で成り成れるものだからなあ。そばにいるのはおだてたりお上手で励ましてくれる〈奸臣《かんしん》〉の方がいいんだ。尤もミド嬢にいわせると、これはホントですわ、わたくし、ウソなんか申しませんっと柳眉《りゅうび》をさかだてて怒るかもしれないが。（このごろ、評伝を書き出してから私は、古い言葉やむつかしい漢字、熟語を好んで使うようになった）

六月五日（火）

パパは少し足にむくみが出て、やや熱あり。みんなでお医者さんに来て頂こうかと相談し、パパにいうと、〈うっせえ、やかましい〉というからやめた。それに今日は火曜日、訪問看護師さんが来て下さる日だ。

若い元気な看護師さんは、パパの熱をはかり、もう平熱ですから心配はないでしょう、血圧も正常、などと報告して下さる。パパと看護師さんの対話。〈あんた、別嬪《べっぴん》

やな〉〈いやー、それゴマスリでしょ〉〈うん、ちょっとだけ、な〉

午後、私は東京の毎日新聞の取材。『姥ざかり花の旅笠』について。ずいぶんこのたびは、この近刊で取材されること多く、ホメられることも多く、〈暗君〉の私は大いに気をよくしている。

六月六日（水）

今日からパパはまたショートステイ。〈ぐろーりあ〉から迎えの車。福祉施設の車は、後部が開いて車椅子を持ちあげそのまますするすると車内へ滑りこませるようにできていて、いじらしくもかしこげなキカイである。いってらっしゃーい、とみんなで手を振るが、黒いガラスの向うのパパはよくみえない。しかしいやがらずにいくから助かるというものだ。午後は読売新聞から川柳についての取材。特に大阪の川柳について。

「大阪はよいところなり橋の雨」（岸本水府《すいふ》）

「道頓堀《どうとんぼり》帰るに惜しい時間なり」（篠村力好《しのむらりっこう》）

プロの川柳家は言葉の配置や音《おん》の流れにデリケートな注意を払うから、しらべが美しい。一度見たり、聞いたりしたら忘れない、というのはそのせいだ。よくあるサラ川《せん》や投稿川柳の我流句はゴッゴッして、めったにおぼえられない。これは素人の句の特徴で、ちょっと先達について勉強するとしらべがかわってくるようだけど。でも私は実作はしない。「気張らんと　まあぼちぼちに　いきまひょか」が唯一の作品。これはまえに、大阪市が〈大阪弁川柳〉のポスターをつくるとき、使ってくれた。

それはともかく、右の「大阪は」「道頓堀」の句のように、帰るに惜しい、と市民に思わせるような魅力的なまちにしてほしいなあ。これは大阪市への注文。

六月七日（木）

今日は東京のテレビ朝日の坂本チャンが来宅、〈徹子の部屋〉出演につき打ち合わせ。坂本チャンとも古いお馴染《なじ》みだけど、昔からちっとも変らず（仕事熱心でテキパキと快いこと、ついでにその若さも美貌《びぼう》も）いろいろ話が弾む。

六月八日（金）

「婦人公論」インタビュー。『姥ざかり花の旅笠』の話題に関連して〈大人の女の遊び方〉だか〈楽しみ方〉だかの取材。私はお恥かしいことに、音楽は聞くばかりで楽器はいじることもできない。絵は見るのは好きだが、描くとなるとスケッチ程度、スポーツ音痴、踊りといえば、阿波《あわ》踊りに昔いったことがあるけど、という程度。お茶お花ダメ。――昔の私の気分転換は小物の刺繡《ししゅう》や、ちょっとした袋物をつくることだった。

いまは針に糸を通すのが面倒なので、美しい木版刷千代紙など蒐《あつ》めて、小箱やノートの表紙に貼り、気分が変るのを楽しんでいる。身辺、花やかないろどりにあふれていい。また私には、とても好きな本ができると、それを我流に装幀《そうてい》する、という癖がある。布や和紙、木版千代紙を貼ったりして、これは本当の愛蔵本。そのほか、西洋骨董《こっとう》や貝、万華鏡のコレクション、市松人形。そんなものを並べて下さいといわれ、拡げていたら足の踏み場もないありさま。あとでもとへ戻すのに半日かかった。しかしもう、これらもそろそろ、私の手もとから散らせるべき。

死後に残っても、他人さまからごらんになればタダの紙クズだろうからね。いつかは私も〈いってしまう〉んだし。

「旅鴉《たびがらす》　風に吹かれて　ついに穿《は》く　夢うつつなる長《なが》の草鞋《わらじ》を」

——さあ、チビはじめ、アマ、デコ、カッちゃん、いっせいにブーイング。

〈あーたん（私のことだ）、ひとりで粋《いき》がるなよな、何が長の草鞋やねん、なっ〉とチビは一同に同意を求める。

〈そうだよォ。ぼくらをどうしようっての。ひとりでいっちゃうなんて許せないっ〉とキイキイ声で抗議する美貌自慢のアマ。

〈そういう気ィやったんか、わかったっ、あーたんはわがままの、エエかっこしイやっ〉とわめくカッちゃん。

ついにスヌーまでしゃしゃり出て、

〈みんなをびっくりさせ、悲しませるような発言は、おつつしみ頂きませう〉

とおごそかにいう。こいつはこの頃、勿体《もったい》をつけるクセが出て来、発音も重々しく、〈ましょう〉が〈ませう〉に聞かれるので、私は彼に〈旧仮名の男〉というアダナをひそかにつけている。

長の草鞋を穿《は》く、なんてことはもういわない、と皆に約束させられる。

六月十三日（水）

この二、三日、「本の旅人」「図書」の締切で夢中。そこへ宇治《うじ》市の紫式部文学賞の候補作六冊がどっと送られてきた。これ、選考日までに読み切れるかしら？

今日は「小説すばる」のグラビア「書斎探検隊がゆく」の取材で、編集長や担当の萱島《かやしま》女史、カメラマン二人、本邦初公開の私の書斎へなだれこんでこられる。

もう、何しろまあ、とびきりの雑然（私にはどこに何があるか、チャンとわかってるんだけど）に加え、ぬいぐるみや人形だらけ、壁にはスヌー（ぬいぐるみ）の大写真がかかり、ドールハウスやハーブの入れもの、ガラス壜《びん》にガラス細工は窓に。ベティ人形があって、パーティ用バッグのコレクションの戸棚、——私はどこで、いつ、仕事をしているんでしょう？　というたたずまい。編集長は、〈ここ、男子禁制じゃないスよね？　一瞬、宝塚の楽屋へ入ったのか、と目を疑っちゃいました〉といわれた。萱島ちゃんは見るものすべて、みな珍しそうで、いちいち手にとって見、万華鏡をのぞき、きゃあきゃあ、といっていた。——五時半、取材終り、近くの「遠山」さんで食事、あとは自宅へ編集長を伴い帰り、ミドちゃんをまじえてたのしく飲む。

六月十五日（金）

大阪のリーガロイヤルホテルで、月例の古典講演〈古典のたのしみ〉三回目、『とはずがたり』を話しにいく。もう五年になる、ここの講演は。特に去年・今年の講演は月替りメニューで、準備というか仕込みというか、たいへんだ。でも自分できめたのだから〈しゃーないやん〉——これは私の古い亡友が、よくいっていた口ぐせ。〈やらな、いかんことは、せな、しゃーないやん〉（しなければいけないことは、しなくちゃ、しょうがないではないか）そういいつつ、てきぱきとことを遂行する、〈キモチイイ男〉だった。とっぽい私にも、やさしく面倒みてくれて、いい兄いだったっけ。だんだん亡くなる友も多くなるなあ。

「こんな癖　あんな癖あった　友らみな　その癖もちて　逝ってしまえり」

六月十六日（土）晴

昨日、リーガロイヤルホテルの月例講演会のとき、びっくりしたのは、いつも会場入口の横に私の著書《ほん》を並べてくれている本屋さんの台が見えず、従って新刊の『姥ざかり花の旅笠』（集英社刊）も、新潮社から出している『源氏がたり』、〈源氏講義〉のCDもない。煙の如くかき消えた、という感じで、そこのスペースがぽかっと空いている。

〈本屋さん、店閉めたらしいんですよ、倒産したとかで。いや、私も存じませんで〉

とホテルの係りの人はいい、本屋の倒産はよく聞くけど、ホテルに入っている本屋さんまでとは、と驚く。でも、それならなおのこと、新しい店を早く手配して下さい、とホテル側に頼む。係りの人が今日になって知ったとは、どういうことなのか、何だか世の中の釘《くぎ》がゆるみ、箍《たが》がはずれかかっている感じ。

私はいつも講演の前、マクラにいろんな身辺の報告をしたりする。聴講者の方から、新刊書も教えて下さいという要望があるので『姥ざかり花の旅笠』の話をしようと思ったのだけど、この日は、母子ライオンの〈一口紙芝居《ひとくち》〉の話をした。ほんとうはライオンの写真をみせるところなんだけど、写真なしでもウケた。

今日は芦屋《あしや》のルナホールで『源氏物語』の講演。私の講演のあと関西歌劇団のオペラ「源氏物語」のハイライトが上演されるというので、かねて、講演は一時間で、——といわれていた。一時間ではミニ講演というべく、紫式部と『源氏物語』はしゃべれない。困ったなあと思い、それでもそのように準備していったら、支配人の大熊さんが〈やはり、一時間半でお願いします〉とのこと。会場入口の立看板を見たら、「田辺聖子『源氏物語』の夕べ」となっていて、なんとなく納得。

今日も聴衆のあたたかい親和感と、挑むような期待感がいきいきとした波動となって、私を搏《う》ってくる。身じろぎもせず聞き入って下さる人って好き。

そして私は、こう思っている。

聴衆《みなさん》の親和感の底流にはきっと、〈『源氏』のひとときを共有しよう〉という気分と共に、私が三十何年か書き継いできた、小説群への馴染みの気分がまだ、たゆとうていられるのではないかしら。『私的生活』の乃里子《のりこ》や剛《ごう》や『求婚旅行』の平三《へいぞう》や昭子や、『九時まで待って』の浅野稀《まれ》や蜜子《みつこ》や……それらを親《ちか》しい実在の人間のように思って下さるからではないかしら。

だいたい私は、なんで小説を書くかというと、世間の人に、

（ねえねえ！　こういう女の子って、ちょっといいでしょっ！　かわいいと思いませ
ん？）

といいたいからである。

あるいは、

（こんな男、どうですか？）

なんていいたいからである。私は貝殻や千代紙やガラス壜を蒐めるのが好きだが、それと同じように、

〈好きな男《やつ》、好きな女《の》〉

も蒐めている。そういう愛蔵品を動かして小説に書いてきたから、今までの二百五、六十冊の小説本、そのコレクションの大展観、というわけである。世の人は、その中から自分好みの、というか、自分の琴線に触れる人間を選《よ》り出し、賞玩《しょうがん》して下さるの

だろう。

その気分が底にあって、この暖い親和感、昂揚《こうよう》感が生れるのではないかしら。それでいくと、私は、光源氏という主人公も、愛蔵品の一つだ。私は源氏の君が狂言廻《まわ》しという説には与《くみ》しない。彼は初めから終りまで主人公であって、紫式部は舌なめずりしながらいとしみ、彼を造型している。

気持よく語り終え、いささかの疲れも楽しかった。控え室へ戻る私と入れ違いに、衣裳《いしょう》の裾《すそ》をかかげ、冠を片手で押えながら、オペラの人たちが舞台へあがっていく。顔見知りの方たちもメイクで見違えるよう。時間がないので、にっこりしあうだけ。王朝オペラは衣裳が大げさなので、歌手の方は大変である。——とひとごとのようにいってちゃ、いけないんだけど。この台本を書いたのは私、である。作曲は鈴木英明先生。ちょうど一年前、吹田《すいた》のメイシアターで上演して大成功だった。

このたびも全曲、全シーン上演できればいいのだけれど、オペラは何しろ大がかりなので、ハイライト公演になる。しかし綺麗《きれい》にまとまり、これは東京でも公演して好評だったもの。

控え室で、関西歌劇団の団長である野口幸助先生と記念の写真をとってもらった。

芦屋の友人たち数人が顔をみせてくれる。一緒にこのあとのオペラも見たいところだけれど、私には自由になる時間はあまりなくて、たいていのことは思うに任せない。
私は、できるったけ、老母・夫とともに夕食を摂《と》るようにしている。九十六の老母と、あとどのくらいいられるかわからないので。（もちろん、老少不定《ふじょう》、私の方がお先に、ということもあるが）
灯《あかり》のきらめきはじめた芦屋の町をあとに車は阪神国道を東へ。〈ただいま〉という間もなく夕食。ミド嬢も一緒に。——というのは、椅子に坐《すわ》ったパパの姿勢を変えるとき、私ひとりでは難儀なため。尤《もっと》も、八時からは夜勤のパート夫人が来てくれるけれど、それまでは私が面倒をみないといけない。明後日の東京ゆきまでに、書く仕事、その他何やかやあるけれど、老母と壊れかかってるヒト（パパのことだ）相手に仕事の愚痴をいってもはじまらない。今夜の献立は、五目豆（わが家で煮《た》いたもの）、鮎《あゆ》の塩焼き、冷や奴《やっこ》、たこ酢、焼き茄子《なす》、という夏らしいもの。これに鱧《はも》の照り焼きとそうめんが加わると、即、大阪は天満《てんま》の天神サンの夏祭の献立になる。そんな話をしたり、鮎のおいしい揖保《いぼ》川の支流のそばにある〈鈴虫山荘〉（私の持っている山小屋の名だ）の話になったり。

食事中にテレビをつける習慣はないので、私やミドちゃんが工夫して、老母やパパを会話にひき入れようと試みる。老母はよくしゃべるが、パパは無口だ。しかし時々、突っこみを入れるから油断ならない。

〈今日は楽しかったけど、えらかったナ〉

とつい、私がいうと、彼は重い口をひらき、

〈芸ある猿はえらい目、するようになっとるんじゃ、元来〉

〈あたいはサルかい〉

〈芸は身を助く、はマチガイじゃっ。芸は身をほろぼす。無芸大食というが、無芸長生きこそ最高やわいっ〉

〈わッかりましたァ〉

〈以後、気ィつけい〉

みんな、わッさり笑って、よく箸《はし》がすすむ、という按配《あんばい》。団欒《だんらん》といい、家庭運営というも、馬鹿ではできないんだ。思えば不肖、やつがれも、ようデキた女やのおー。

六月十八日（月）東京ゆきの日。

近くに住む妹が母を連れ帰ってくれる。というより、〈持って帰った〉というほうが適切。車内にちょこんと坐らされた母は、それほどカサが低い。パパのほうは昼と夜、付き添いの人がバトンタッチでお守《も》りします、とのことで置いてゆく。ミドちゃんと午前十時半出発。東京の定宿は山の上ホテル旧館である。

昼食後、一つ目の仕事。田中優子さんとホテルで対談。私の新刊『姥ざかり花の旅笠』と、江戸女性について。

江戸文化の研究家でいられる田中さんとお近づきになれたのは嬉《うれ》しい。田中さんは瀟洒《しょうしゃ》な着物姿がお似合いの美女だった。頂いたお名刺には〈法政大学教授〉――いかめしい肩書が、ことも無げに美女に付いているのに、むかしニンゲンの私は感じ入る。

これは雑誌「ミマン」の仕事だったが、夜は集英社の人々と神楽坂《かぐらざか》の〈すし幸〉で。もう何年も前に一、二へんきたきりなのに、主人は私をおぼえていて、〈前のときはあの席にお坐りでした〉なんて。

大阪では食べられない貝類や魚を握ってもらう。鮓《すし》は地方色があって楽しい。五月に『源氏物語』の講演に、ロサンゼルスへいった話を私はした。そのときに知った現地の歌人のお歌。日系人たちで歌の結社をつくっていられるが、中に市民権をとられた摺木《するき》洋子さんというかたのお歌。

「星条旗見上げる我は今日市民　されど心は白地に赤く」

私、涙が出ちゃいました、というと、年輩の人たちは深くうなずく。

日の丸や君が代にさまざま議論はある。終戦後に生れた人は、日の丸・君が代に思い入れはないのはわかる。ただ私としては、日の丸に悪いイメージがあるなら、それを善いほうへ転換するようつとめたらいいのではないかと思っている。国旗国歌なんて、やたら変えるものではない。その国の歴史の消長のうちに、さまざまな色に染められていくのは免れがたいが、超党派的に、〈それはそれとして〉中心に据えておかねば、という思いがある。広く国民の意見を徴して国旗をきめようという説もあるが、それはかえって混乱を招き、意見の統一など百年、河清《かせい》をまつに等しいだろう。ホテルへ戻ったら、チビ、アマたちから電話が入った痕跡《こんせき》。甘えるな。おとなしく留守番してろ。あーたんは非常時だゾ。

六月十九日（火）

昨日は二百五十冊の『姥ざかり花の旅笠』にサイン。今日は昼食後、六本木のテレビ朝日へ。二時すぎ録画。「徹子の部屋」、黒柳徹子さんと久しぶり、ここでの出演は三回目ぐらい。

〈このステッキ、折り畳みなのよ、ヌンチャクみたいなの〉と、私が花柄のステッキを自慢したら、黒柳さんは、〈あ、私もそれ、まえにお芝居で使った。だけどあまり力を入れると曲っちゃって怖いわよ〉と注意してくれた。昔に変らず、美しく若く、舞台で鍛えた張りのあるアルトのお声がよくひびく。ここでも『姥ざかり花の旅笠』のお話。でも久しぶりの旧友に会った感じで楽しくしゃべれた。あっけなく終り、スタッフの一人、坂本チャンがスタジオへ下りてきて、〈よかった！　花丸ですよ！〉と人さし指と拇指《おやゆび》でマルを作った。

なンか、よく分らぬまま、いそぎミドちゃんと東京駅へ。今夜は京都泊り、明日は嵯峨野《さがの》の寂庵《じゃくあん》へ、瀬戸内寂聴さんを訪ねなければならない。――いやもう、今までの人生ぶん、ひっくるめて忙しい月、というゆえんだ。京都のリーガロイヤルホテル、夕食は「たん熊」、おいしくてチーフは親切だった。九時半になったが、ここで落ちあうはずの集英社の村田さんはまだ着かない。浮世は忙しい人ばかりだ。

六月二十日（水）

朝、ホテルで集英社の村田登志江さん（このたびの対談は集英社の雑誌「メイプル」の企画なので）、カメラマン・荒木経惟《のぶよし》さんたちのチーム、ライターの島崎今日子さんらと合流。お天気でよかった。私は〈ミズ・レイコ〉のピンクのブラウスとパンツ。旅行のときはミズ・レイコに限る、というのはトリコットでくしゃくしゃに畳める上に、色あざやかなアップリケが美しく、着映えがするのだ。アラーキーさんとも久しぶり。——寂庵の庭にもお花は咲いているだろうけど、まあ、広いおうちだからと、私はホテルの花屋さんで花束を作ってもらって、それを手みやげに。

京都へ来たときのならいで、〈鳩居堂《きゆうきよ》〉さんと三条の小もの屋〈中川〉さんへいつも寄るが、この日も時間が早いので寄ろうとしたら、荒木さんたちもついていくという。私は鳩居堂さんで筆架を買った。かねて欲しかったもの。あと筆を少々。荒木さんは〈左団扇《うちわ》で暮らしたいから、団扇を買った〉。

嵯峨野の寂庵は前に来たときより、もっと繁みが濃くなり、木高くなり、あやめが美しく咲いて、ここはおみ堂が隣にあって仏さまがいらっしゃるせいもあるが、いつ来てもすがすがしく、心がおちつく。毎月の寂聴さんの法話の日はぎっしりと人で埋まるはず。

瀬戸内さんは常に変らずにこやかに迎えて下さる。今日は『姥ざかり花の旅笠』と、女が老いこまず、いつも若くいるには、――なんていうテーマで、ということだったけど、瀬戸内さんと対していると、いつものことながら、話が弾んで止まらなくなってしまう。瀬戸内さんの最新作『場所』の話から、『姥ざかり花の旅笠』の小田宅子《いえこ》の軒昂《けんこう》たるたたずまいと色気。瀬戸内さん曰《いわ》く、

「これ、五か月以上かかってる旅でしょ、ああそうか、もう生理終ってるのか」

「もう月やくが上がってはればれしてます、みんな。だから、これからが本当の人生」（笑）と私。

瀬戸内さんのもとへ寄せられる身の上相談では更年期障害を訴えるものが多いとのこと、ほんとはそれが終ってからの人生だけどねえ、という話になる。瀬戸内さんは

五十一歳で出家なさったけど、「今思うと更年期の情緒不安定からかもしれないわ、うまい抜け方したと思うわ」（笑）――私のほうは、更年期障害なんて出てきたかも分らないけど、幽霊と一緒でせっかく出てきてくれても気付かなかったわ、といった。なにせ、仕事が多くて締切に次ぐ締切で、更年期より「原稿できましたか」という編集者のほうが怖かった（笑）。

アラーキーさんが、庭で私たちを撮ることになり、例により、〈あ、いいねえ、いい顔だねえ……〉と上手にあやされて二人でにこにこしているうちに終る。ついでにミドちゃんも入れ、プライベートな写真もとってもらう。しゃがんだミドちゃんの肩へ瀬戸内さんは手をかけ、〈あ、きれいきれい〉と荒木さん。ミドちゃんは、光栄でございますわ、と大喜びだった。

対談は二時間あまりに及び、この日の結論は〈二人とも年とったという実感、ないわねー〉〈ほんと、困ったこと〉（笑）。

帰宅してミドちゃんと二人だけの夕食。飲む。今夜は留守番の人が細巻ずしを作っておいてくれたが、あまりおいしくない。ハッキリいってまずい。〈すし飯《めし》がなってない〉

と私は不機嫌。

〈いや、まあまあ、……今日はほんとにお疲れさまでした。ごくろうさま〉とミド嬢。あわてて私に酒をつぎ、これって、仕事から帰った亭主が、口に合わぬオカズについて、女房にいちゃもんつけてむくれる図とおんなじじゃないか。久しぶりの帰宅によろこんですり寄ろうとしたアマやデコ、チビたちが、もじもじしている。しかし酒の力は偉大だ。日本酒、焼酎《しょうちゅう》、ウイスキーとすすむうちに、いやー、気も晴れ晴れしてきた。

今日、昼間来てくれた留守番の人の伝言メモ。〈お庭で小っちゃい蛇、一ぴきみつけました。手にのせたいようなかわいい子でしたけど〉というのを見ても私は怒らない。〈聞きなさい〉と子供たちに読んできかせる。

口ほどにもなく怖がりのチビは、

〈あーたん。宿替えしようよ〉

とふるえている。蛇のいる家はゲンがいいといいますわよ、とミド嬢。

〈じゃ、ずーっとうちにはいたわけね、あたし、ずっとゲンがよかったんだから〉と私。

ゲンは大阪弁で縁起のこと。悪い運もよくなることを〈ゲンなおし〉という。〝現《げん》なおし〟なんて名の小料理屋も昔あって、縁起がええ、と大阪人に喜ばれていた。いっそ私のペンネームも〈現なおし・おせい〉にするべきか。しかしやっぱりいちばんの〈現なおし〉はお酒だろう。酒の別名は〈機嫌なおし〉だ。

六月二十二日（金）

今日の仕事こそ、見ものなれ、という所。どうにも押しつまった仕事を仕上げなくては。

「ハンドクリームつけていざ今日一日の　わが戦いは始まらんとす」

朝日の連載、三本を一挙に書く。

「文藝春秋」の別冊出版の原稿一本。

「文藝春秋」本誌のエッセー一本。

できあがったら六時半。すぐさま〈機嫌なおし〉を頂いて疲労回復。でも夕刊を読んでいるうち、気分が萎《な》えてくる。この八日に起きた大阪府池田市の大阪教育大付属池田小学校の児童刺殺事件は日本中を震撼《しんかん》させた。今もその記事で埋められる。三十七歳の男が学校へ侵入し、出刃包丁を持って教室の一、二年生児童に次々と襲いかかり、八人の子供たちが刺されて死んだというのである。そのほか先生はじめ、十数人の児童らが負傷。――人間社会の成熟というのは、老いを扶《たす》け、幼を庇《かば》い育てるところにあるのに。一昨年には京都の小学校でも二年生の男の子が殺されている。殺人を犯して死刑になりたかったなどという犯人の言葉も報道されたが、神戸の少年犯罪者と同じく、彼らの襲うのは必ず、か弱いもの、無力なもの、もろいものである。強力なもの、優勢なものにたち向うことはない。野獣の残虐と狡猾《こうかつ》を思わせる。

被害者の親御さんにとっては、その時から人生の時計は止まったままだろう。理不尽ということを人生で学ばされるのも、人間社会のならいの一つではあるが、それにしてもこの理不尽は辛《つら》く、むごすぎる。

犯人・宅間は以前、伊丹《いたみ》市役所に勤めていて、傷害容疑で逮捕され、免職になった前歴がある。町内の人々は宅間についていろんなニュースを交換しあったり、する。

六月二十三日（土）

今日、ミド嬢はマンションを引っ越した。以前より少し近くなり、ウチへの通勤が楽になりました、と。夜はウチで食事をし、まだ片付いていないといいながら、ゆっくり飲んでいる。引っ越しお祝いの意味もあって、今日のメニューは、

〈鮎の塩焼き。こんにゃくと青菜の白あえ。すじ肉の土手焼き。お刺身。モロヘイヤのスープ〉

というもの。そのうち引っ越しパーティにご招待します、といい、いそいそと自転車で〈新居〉へ帰ってゆく。新居とはいい条、以前と同じく、誰が待っているでもない。ミドちゃんを待っているのは、敬神崇祖の念あつき彼女のことゆえ、小ぢんまりと可愛らしいお仏壇のみである。

六月二十七日（水）

パパを〈ぐろーりあ〉へ送り、あと仕事、自由都市文学賞の候補作を読む。夕方、前々から頼んでいたタクシーがきたので、ミドちゃんと乗りこんで、I川の上流の蛍を見に。（これは場所をいってはダメ、と人にいわれた。その土地の人々が、あるいは苦心して養殖に成功されたのかもしれない。心ない町の人が押しかけ、乱獲してはいけないから、という）

渓流のそばの料理旅館で食事して、（結構、高かった）また車で、谷川をとろとろと下ると、旅館の集落をはずれて暗くなったあたり、木々の茂みに、おどろくほど大きな蛍が飛び交っていた。ためいきのように光ったり、うすれたりする。思いがけず高い木の梢《こずえ》が光っている。風に吹き払われて消え、また、光のかたまりとなって流れてゆく。

運転手のクリちゃんは、私たちが喜んでいるのに満足したようだった。帰途、大人の男女三、四人、やっぱり蛍籠《ほたるかご》を手に〈乱獲〉していて、それをみると、どっと疲れてしまった。

六月三十日（土）

昨日から東京へ来ている。

今朝は六時起床。朝食後、NHKの迎えで放送局へ。〈土曜オアシス〉という番組である。

どこの放送局も綿密な打ち合わせがあるが、殊にNHKの放送台本は凄《すご》い。たくさんの出演者、場面もかわり、取りあげるテーマも一つの番組に多く盛りこまれるので、手順も必要だろうから無理はないが、あまりにこまかく規制されると、私のようにぐうたらな物書きはかえってはみ出したい誘惑を感じてしまう。

刻々と迫る本番前の緊張感もいやなものだ。

しかしはじまると、私は気楽にしゃべることができた。

萬田《まんだ》久子さんは以前、私の原作のテレビドラマにも出て頂いて顔見知りだったし、アナウンサーの方もなだらかに話を向けて下さるので、さすがに話しやすい空気の流れが作られる。私の出番だけ出て、スタジオを出る。

しゃべりすぎたかなァ、とちょっと自己嫌悪を感じていたら、ミドちゃんが、おもしろい番組になっていました、とうけあってくれる。

新幹線でただちに帰ったら、まだ二時であった。パパはそんなことはあまりいわない男だが、〈よかったよ〉という。妹から、きれいに服がとれてましたとFAXが入っている。服だけかい。

魔の六月、やっと乗り切ったかと思ったが、仕事部屋へ入ると、宇治市の紫式部文学賞と直木賞の候補作品が山積みされていた。留守番の人が用意しておいてくれたメニュー。

〈お刺身（赤貝とかんぱち）。あさりの酒蒸し。鱸《すずき》の塩焼き。そら豆の塩茹《ゆ》で。焼き茄子《なす》。鱧《はも》の皮と胡瓜《きゆうり》の酢のもの〉

というもの。老母は今夜も私より健啖《けんたん》だった。テレビの私、〈わりに見よく〉映っていた、といってくれる。親馬鹿だろう。

七月五日（木）

昨日、みんなで書いた七夕の短冊を、朝、ゆっくり見たら面白かった。毎年、小さい笹をお花屋さんから買ってきて、家族全員（ウチで働いてくれている人も）何かしら短冊に書いて結びつけることになっている。

みんな、わりかし字がうまい。（筆ペンだけど）真紅《しんく》の短冊に、

「タイガース最下位だけは　やめてよね　おしず」

おしずちゃんは、タイガースファンである。

「料理が上手になりますように　ミナミ」

グリーンのそれは、台所を引きうけるミナミちゃん。

「先生ご一家の御健康をお祈りして」

は、やっぱり台所係、兼、家事もろもろの係のヤナちゃん。ヤナちゃんはぬからず
もう一枚の、オレンジ色の短冊に、これはプライベートな〈星に願いを〉の巻。

「私したち夫婦がいつまでも健康で過ごせますように」ほんと、ほんと。

庶民の最低のねがいは、これに尽きるもの。

「美しさを、健康を、愛を」

これはミドちゃん。あつかましい。名にちなんで濃いグリーンの短冊である。

「大《おお》先生　いつも下さい　すてきな笑顔　おしず」

これは、パパの付き添いをしてくれるおしずちゃんの願いらしい。パパは一同《みんな》から

〈笑顔よし〉と思われ、いっぺんニコッとすると、

〈あ、笑った！　笑われました！〉

なんてみんな喜び、〈何さまだっ〉と私などは思うが、彼としては何心もなく、ニコついただけであろう。薩摩《さつま》育ちの男は、〈男は三年に片頬〉——男というものは、むやみやたらに笑うんじゃない、三年に片頬ぐらいでいいかげんだ、という教育を受けるというが、パパは奄美《あまみ》生れだから、芯《しん》からの薩摩男ではなく、その上、彼は笑いたいときに笑うわい、という気まま男、素のまま、生れっぱなしという奴。

　私の短冊は、

「みんな元気でごはんがおいしい　聖子」

という、非文学的なもの。家庭経営の責任者としては、落伍《らくご》者《しゃ》を出さない、というのが一番の鉄則だからなあ。文学どころじゃないよ。しかしその居直りが、私の品下《しなくだ》れるところであろう。

「いつまでも思ひ出多い　七夕様」と、

「七夕様　みんな楽しく暮しませう」は、
旧仮名遣いでわかるように老母である。しかも老母の字がいちばんさまになり、と

とのっている。老母は大正の女学生時代は、そのころの風《ふう》とて小野鵞堂《がどう》流の字を習い、私から見ても達筆であったが、戦後の家の没落と父の死でそれどころではなく、働きに働いた。私たちが社会人としてそれぞれ独立し、やっと労働から解放された時、母がまっさきにはじめたのは書道と日本舞踊である。踊りはともかく、書道にうちこみ、町春草先生のお弟子さんのそのまたお弟子さんに習って、〈田辺春芳〉の名を頂いたりしている。なおよく仮名を究めたいというので、神戸の中尾一艸《いっそう》先生に就いたりしたが、そのころから老いがすすみ、やっとあきらめて、今は時折り、気が向けば筆をとる、という程度である。

私はパパのために、

「ゴルフやること」

と書き、手をとって筆をもちそえ、〈純夫〉とサインさせた。それだけでやっとこさで、彼はまじまじとしている。去年はまだ、皆に責められ、持ちにくそうに筆をとって自分で書いたものだった。「スゴく　聖子よ　愛してゐるよ」なんて抜け目ないんだ。（大正男だから、ちゃんと旧仮名遣いだ）今年は、皆が去年のことをいうと、

〈忘れた。去年のことまでおぼえてられるかい。昨日のこともおぼえてないのに〉

ともあれ、一同の七色の短冊が、早くも葉の瘦《や》せ衰えはじめた笹にヒラヒラとまつわっているのはたのしい眺めだ。

私は結婚したときからすでに四人の小学生・中学生たちがいたから、毎年の年中行事に忠実だった。子供たちは私から見ると、そういうことに全く関心なく育てられたらしかった。お正月はさておき、雛祭《ひなまつ》りも五月の節句も、七夕、クリスマス、誕生祝い、一切無関係の野育ちであった。伝統の因襲が鳥黐《とりもち》のようにからみついた大阪下町の町人育ちからみると、却《かえ》ってさわやかだった。（もっとも、私の幼時といえども戦前の時代なのでクリスマスや誕生祝いなどはなかったけれど）しかし夏祭や夜店などは子供たちも楽しんでいたし、駄菓子屋も健在であった。私はそこへ、家中でたのしむ七夕やクリスマス、雛祭りなどの風習をとり入れたのである。

——このあいだ、久しぶりにウチへきた次男が（もう四十代のおっさんになっている）、

〈クリスマスケーキの蠟燭《ろうそく》、お雛サンのばらずし、おぼえてる〉

といった。それに私が夕食の支度のとき、必ず、着物で白い割烹着《かっぽうぎ》をつけていたことも、というのだ。私はそのことを、今まで忘れていた。私は四人の子供たちを私の

手に託《たく》された、と思ったとき、私の母がしていたようにしようと思ったのだ。にわか作りの〈母親〉にマニュアル本はなく、あるとすれば幼児体験の母の記憶だけだった。母が女中衆《おなごし》さんたち、姑《しゅうと》・小姑たちと共に、大人数の家族・従業員たちのため、着物姿で立ち働いている後姿を見て私は育った。

それが〈母親〉のあるべき姿のように思い、私は夕方がくると仕事のペンを置き、手早く着物に着替え、白い割烹着をつけて台所に立った。材料はすでに家政婦さんに買い揃えてもらっている。その頃の家政婦さんというのは、四時五時くらいまでしか、いてくれなかった。私はいそぎ、野菜をいためたり、肉を焼いたり、するのだった。

――昭和四十年代初め、私はもうすでに、週刊誌の連載小説、中間雑誌の短篇連作などに多忙だったけれども。――

しかしそれさえ、次男が思い出話をするまで忘れていたというのは。……物書きにしては雑駁《ざっぱく》、というほかないわが性《さが》、「昨日のこともおぼえてない」とうそぶく夫を嗤《わら》えない。しかし一面、過ぎしことをすぐ忘れるからこそ、今日まで元気に生きてこられた、という気もする。その上にもう一つ。私は苦労や悲愴《ひそう》感や自己憐《れん》愍《びん》の小説は書けない体質である。その方面は営業範囲ではないので、どんどん、記憶からとり落してゆくのかもしれない。結構、子供たちを叱ったり、あたふたさせられたりして、苦労した思い出もあるのだが。

今日は堺《さかい》の自由都市文学賞の選考会だった。堺の仁徳《にんとく》御陵のそばの「丸三雪陵庵《まるさんせつりょうあん》」で選考。委員は藤本義一さん、眉村《まゆむら》卓さん、難波利三《としぞう》さん、と、在阪作家。今年も面白い作品を出すことができた。古馴染《ふるなじ》みの友人ばかりだが、といって選考はナアナアではなく、議論をきっちり交す。ここの受賞者から他の大きな文学賞を取られた方も出られ、楽しみであるだけに、選考はおろそかに出来ない。ところで藤本ギイッちゃんは前々から、いつかウチへ飲みにいく、と約束してくれているが、なかなか実現しない。

〈今年じゅうに、きっと、いく〉

と誓いをたてるように、片手をあげていた。

七月十二日（木） 暑し。

直木賞候補作読みつづける。パパはご機嫌わるいと思ったら、微熱あり、七度二分。

どうしたのかしら。夜、食事中、これもお召しあがり下さい、とミドちゃんがお魚の煮付けの皿をパパにすすめると、虫の居所が悪かったのか、うるさいといって、ミドちゃんめがけて箸《はし》を投げるではないか。

〈危いじゃありませんかっ〉

とミドちゃんは叱る。

〈危いから、やっとるんじゃっ〉

いえてる、――とみんな納得、笑ってしまったが、パパひとり、何がおかしいという顔。

ヘンなおっさんだ。

七月十四日（土）晴

日中三十五度。今日梅雨明けというが、たいへんな熱帯夜。オリンピックのチャンス、大阪は逃がし、北京になった、と。大阪人はわりに冷静で、あかんやろ、思《おも》てました、なんていう。私は活性化に望みをかけてました、というところだ。

七月十七日（火）

上京。直木賞選考会。じっくり選考、意見を出し尽くしたところで投票、藤田宜永《よしなが》氏『愛の領分』が、ほとんど一人勝ち。おとなの領分、というべき中年男女の恋愛小説で、重厚で奥行ふかい佳作。受賞で私も満足、——あと林真理子さんたちと「数寄《すき》屋橋《やばし》」へ。シャンペンが抜かれて大にぎわいだった。

やっと山の上ホテルへ帰ったら、「新潮社」の伊藤さん、「中公」の下川さんらが待っていてくれ、久しぶりの再会、嬉《うれ》しいこと。もう遅かったが、「小説すばる」の山本編集長も合流。ホテルのバーは一杯なのでロビーで飲んでると、テレビに選挙の候補者、自由連合の面々がにぎにぎしく出ていて、世事に疎い私はその顔ぶれにたまげてしまった。

七月十八日（水）

新幹線で名古屋下車、駅前の名鉄ホールで私の原作「もと夫婦」を上演しているので観にゆく。主演は藤山直美さんである。いつものことながら笑わされて、満場、爆笑の渦。アドリブ連発の直美さんのことゆえ、危難に遭うと、〈田辺センセ、たすけてえ〉なんて悲鳴をあげるので、観衆は何のこっちゃと思うだろうけど、観ている私とミドちゃんは、おなかがいたくなるほど笑った。もちろん、このお芝居の成功は、直美さんはじめ役者さんの面々の練達、それに脚色演出の老巧のせい、でもときどきここでかけてもらえる私の原作の舞台は、よく笑わせてもらうから嬉しい。帰ったらもうおそく、パパは眠っていたが、揺りおこして旅の話をする。

七月二十二日（日）

庭ののうぜんかずら、咲きつづく。暑し。三十六・五度という。裏庭で蟬、はじめて鳴く。

昨夜、明石《あかし》の花火大会で雑踏のため十人死に、百人近い重軽傷者が出たという大事件あり。花火大会などという、平和の極致のようなたのしい催しが、こんな結果をひきおこすなんて。新聞は警備の不手際をいう。それは想像力の不足、ということだろうか。

七月二十三日（月）

京都駅の上の〈ホテルグランヴィア京都〉で〈紫式部文学賞〉の選考会。宇治市の主催するものである。

近頃、〈女流文学賞〉の〈女流〉が消えてゆく事例が多い。性差の薄れつつある現代、ことさら〈女流〉にこだわることはないんじゃないか、という意見が世間的発想の本流になったからだろう。中央公論が出していた長い歴史のある〈女流文学賞〉も、対象は男性女性を問わぬ〈婦人公論文芸賞〉となった。

しかし紫式部文学賞は女流の作品と規定されている。以前、主催者側から規定の検討を求められたが、私は時流に反してもいい、一つぐらいは女流にこだわる文学賞があってもいいじゃないか、と返事した。何たって〈紫式部〉という、賞に冠する〝名前〟が華やかだものねえ。

私は、〈女〉とか〈女流〉とか〈女手〉なんていう言葉からして〝社会の華〟だと思っている。それは世の中の〈にぎやかし〉というものでもある。それでいえば、相撲の土俵に女を上らせないという伝統も、大峰山《おおみねさん》の女人入山禁止、という宗教的禁忌ものしい〈世の中の華〉だ。

タブーの伝統がもし崩壊消滅するとすれば、それは裡《うち》なる世界の壊滅する時であろう。男たちが伝統を重んじなくなったときだ。それまでは、せっかく男たちがそういうのだから、それも〈世の中の華〉として重んじてあげるのも楽しいじゃないか。——

というわけで、宇治市の紫式部文学賞は今年で十一回になる。

宇治市は勿論《もちろん》『源氏物語』宇《う》治十帖《じじゆうじよう》の舞台であるが、『源氏物語』の顕彰に熱心な町だ。なんと、本家の京都市にさきがけて〈源氏ミュージアム〉なんて作った。私のいったときは本物の牛車《ぎつしや》、衣裳《いしよう》、調度のさまざま、物語の一シーンの再現など、チェを絞った装置展観が楽しく、幽明の境のような廊下を伝ってミニ映画館へ入れば〈宇治十帖〉の短篇映画「浮舟《うきふね》」も見られる。(監督は篠田《しのだ》正浩さん)

そしてまちなかへ出れば、宇治大橋から平等院、宇治上神社。宇治川の流れも清く、王朝趣味の私にはまことにうれしいゆかりの地である。

市役所の方々も例年通り見え、選考委員も揃う。梅原猛《たけし》先生、瀬戸内寂聴さん、多田道太郎先生、竹田青嗣《せいじ》先生。私はその末席に連なっている。

下読みからあがってくる候補作、意外に、というか、当然というか、つねに純文学といわれる作品多く、瀬戸内さんと私とで調整してエンターテインメント作品を推した年もあった。今年は富岡多恵子さんの『釋迢空《しやくちようくう》ノート』にきまる。

すぐ富岡さん宅へ、市役所の係りの方が電話で一報。富岡さんは、あまり気乗りのようでなく、

〈私、このごろ文壇から遠く離れてるし、……〉といわれたよし。

〈え？　じゃ賞は受けないって？〉と瀬戸内さん。〈いえ、賞は頂きますとおっしゃいました〉とのことで、緊張が解けて、委員のあいだに好意ある笑いが洩《も》れた。釋迢空は難しい素材だが、よく核心を衝《つ》き、対象に迫っている、という点で委員の意見は一致した。

瀬戸内さんはともかく、梅原先生とは一年に一ぺん、この選考でお目にかかるのだが、いつも内容豊富なお話がうかがえるのは嬉しい。

今夜は近づく終戦の日に、小泉首相が予定している靖国《やすくに》神社参拝、是か非か、というのが話題だった。

梅原さん、瀬戸内さん、ともにアジアの隣人関係を重視して、参拝はやめたほうがいいというご意見。私は靖国神社参拝問題ばかりでなく、教科書問題に於《お》ける中国の威圧的恫喝《どうかつ》に不快感をもつ一般大衆が、じわじわ多くなっており、〈嫌中国気分〉はいまやインテリ層にまで〈嫌煙運動〉より熱っぽく浸透していることを感じているが、こんな文学の集りで政治的議論するのはいやだったから、黙っていた。

帰宅すると、パパはまだ食堂に、ミドちゃんといた。私の顔を見て、安心したように寝にゆく。チビもデコもアマもよく寝ており、スヌーだけ薄目をあけて、

〈あーたん、おかえりなさいまし〉

という。いやな奴だ。この前、江戸っ子自慢のお客が来て〈この子はいやな奴じゃなく、さっぱりして、とてもいい男の子〉、〈ましっていうのがホントの江戸弁なんだ。江戸前のすし屋へいくと、〃いらっしゃいまし〃っていうぜ〉と話しているのを聞きかじり、その方が上品で旧仮名遣い人《じん》としてはふさわしいと思ったらしい。

七月二十八日（土）

連日猛暑、そして連日の講演。金曜は恒例の大阪リーガロイヤルホテルでの「古典の楽しみ」の『堤中納言《つつみちゅうなごん》物語』から、「花桜折る少将」「虫めづる姫君」「はいずみ」を。

今日は神戸の新築成ったよみうりホールで、『源氏物語』を。八月一日には東京で、〈作家と外国〉という企画の講演会がある。今日、神戸の友人たちも来てくれたが、あまりに聴衆が多すぎ、それに演壇が低く、私の顔は見えず、声のみだったと。〈でも感動したわ。よかった。あゝな、ちょっとモーツァルト聞いとうみたいやったわ。波があって、揺れたり、渦巻いたり、サーと流れたり……モーツァルトをおしゃべりだけで演じとってやったわ、センセ〉神戸弁とモーツァルトの相性、雅致《がち》があって面白し。

八月二日（木）

昨日から東京。近代文学館主催の講演会、〈私とカンボジア〉。ここは演壇の机が高くて、チビの私は首だけテーブルの上に乗った如く、〈オマエ、丸っきり、小塚っ原《ぱら》のさらし首やったぞ〉という口のわるい関西作家の評。今朝帰阪、大阪駅のホームへ下りると、まるで熱湯を浴びたような暑さだった。

夜も暑さ引かぬ中を仕事。夕刻、雷雨あり。最高温度三十八・四度なりしと。チビなど海水着を着て庭の噴水の鉢で泳いでいた。

八月三日（金）

新聞は連日、靖国参拝の是非論ばかり。

今日はパパの誕生日、パパには知らせず、食堂の飾りつけ、ご馳走《ちそう》の手配。昔は毎年、ヤミの会と称して、八月三日に女性編集者たちを集めて大パーティをやっていた。一昨年は四十三名来て、大盛会だった。パパが発病したので、パーティはそれがラストになった。楽しい思い出は指の股《また》から洩《も》れおちるように人生からこぼれ落ちるが、それもまた可《か》、というところ。鯨ベーコン（昔、食べたとかで、パパの好み）、あと、ずいきのごまよごし、手羽先の醬油《しょうゆ》焼き、枝豆、お刺身、水茄子《みずなす》、メインは赤飯と鯛《たい》の尾かしらつき、という献立。それに小さいバースデイケーキ。

私とミドちゃんは紙の三角帽子、パパは紙のシルクハット、老母も紙の帽子をかぶり、母は何しろにぎやか好きなので、ハピーバースデイをいっしょに歌って大よろこび。何べんもパパの年をきく。きいても忘れるらしい。パパよりもご機嫌。

パパはすべて、されるがまま、という風情。

不快でもないが、〈やめんかい〉などと不機嫌に制するでもなく、淡々としている。七十七になる薩摩《さつま》男としては、バースデイパーティなんていうものは〈小っ恥《ぱ》ずかしい〉が、といって女こどもがせっかくはしゃいでいるのにことさら異《い》を立てる、ということもおとなげない、という処だろう。西郷サンをここへ据《す》えたら、こうもあろうかという風情で、つくねん、としているが、その様子は〈まじまじ〉としか、いいようないものである。(小説屋にしては、ヴォキャブラリィが貧弱だと嗤《わら》われそうだが)

何だか初めて目にする異《い》なるもの、という風情で、私たちが歌ったり踊ったりしているのへ、じっと目をつけている。彼が、やっとわずかにほほえんだのは、ミド嬢が〈大《おお》先生のお好きな歌にしましょう〉というので、私と二人で「ボートの進行」を歌ったときであった。鹿児島医専ボート部の応援歌だそうで、彼に教わったもの。〈ボートの進行／クラッチ音《おと》高く／汐風《しおかぜ》身にしむ／今日の船出／磯《いそ》浜御殿を／左手《ゆんで》に眺め／さしてゆくのは／第三台場／ボートの中には／桜か梅か／二人の美少年が／二挺櫓《にちょうろ》を押せば……――これが延々つづき、たいてい途中で飽きてしまうというヤッ。しかもこのお稚児《ちご》ソングのラストは「思い叶《かな》いて手枕かわし　千歳《ちとせ》の契《ちぎ》り結ばんものを」で締められる。とんでもない応援歌であるが、ふし廻《まわ》しはわりに明るく朗々としており、一杯機嫌で歌うとき最適。しかしこの歌では踊れないなあ……というわけで狭い食堂で落花狼藉《らっかろうぜき》。老母は笑いころげている。今日ばかりは東京のアキラ（私の弟である）の所へ〈お淋《さび》し電話〉をかけることはないだろう。母は私たちとにぎやかに食事したあと、自室へ戻ってから、弟に電話していうよう、〈御飯は、ハイ、さっき頂きましたよ。ひとりさびしく……セイコ？　あの子らは外へ食べに出ました。ハイ、わたしひとり、さびしく食べましたよ〉なんてことを、スラスラ、シャーシャーというのである。いつか上野千鶴子《ちずこ》さんにその話をすると、〈あ、それ、あるのよ。トショリの通癖として、同情されたい、という思いがあって、つい、そんなお話、自分で作っちゃうみたい〉とのこと。あとで弟にその話をすると、〈そんなこっちゃろ、思《おも》た〉と抱腹していたが、同居しているのが娘でよかった、お嫁サンなら話がもつれてしまうだろう。わが家では〈おばあちゃんのお淋し電話〉ということになっている。

八月七日（火）

姫路文学館で、司馬遼太郎《りょうたろう》さんにつき講演。

タクシーは遠くでとめられ、私たちは歩いて正面へ廻ってホールを突っきり、階段を上り下がりして廊下をゆき、やっと辛《から》くも控え室へ。遠かった。講演終って帰る時は、違う人が案内したが、廊下の数歩先が裏出口だった。来るときに乗ってきた阪急タクシーがちゃんと待っていた。初めに案内した人は勉強不足というか、不親切というか、規則厳守の石あたま族らしい。……今日び、みな自分の受持仕事さえろくに勉強しない上に、とっさの機転で気を利かせるということができない。顔見知りの運転手さんは朗らかな人で、一時間半、たのしくしゃべりながら帰ったが、聞いてみると寝たきりのお父さんを遠い療養所へやり（そこしか引き受けてくれなかった）、一週に二、三度、顔を見せに行き、お母さんも奥さんも仕事の合間に代りばんこに介護にいくと。もう三年になると。よくなさるわねえ、……というと、〈まあ、ぼくを育ててくれた親爺《おやじ》ですから〉淡々という。私はごほうびに、キャンデーを一つ、うしろからあげた。

〈それ、スヌーピーの顔がついてるのよ〉

〈えっ。鑑賞せな、あかん飴《あめ》でっか。ぼく、すぐ、口に入れてしもた。この次から鑑賞用は前以《まえもつ》ていうて下さい〉

タカハシちゃんは面白い人だ。

八月十日（金）

一昨日、名古屋公演「もと夫婦」（藤山直美さん主演の、私の原作の舞台である）の、大入袋がとどいた。名古屋での公演はたいてい大入袋が出て嬉《うれ》しい。中身は百円玉だけれども、たくさんのお客さまとスタッフ一同の努力のたまもの。縁起物ですね、とミドちゃんも喜び、パパに見せにいく。パパは〈へえ〉と一べつするのみ。自分の世界の認識外のことは毫《ごう》も関心を持たない。

何にでも燃ゆるが如き関心を持つ人がいるが、その反対の人間も世の中にいる。ヨシモトの漫才なら、何にも世間に対して関心ない人間に、〈あ、十円玉落ちてる!〉といい、〈どこや⁉〉と間髪を入れず地面をさがしまわるという常套《じょうとう》のギャグがあって、何べん見ても抱腹させられるが、おっちゃんは、興味と関心のない現象や事物に対しては、まことに無欲で、いさぎよいばかりである。そんなときの反応はきまって、

〈へー〉

〈ほー〉

〈はー〉

のみ。ウチでは〈へーほーはーおじさん〉と呼ばれている。

今日は河合隼雄《はやお》先生と対談だった。〈物語を物語る〉というテーマ。河合先生とはもうずいぶん前、私の子ども時代について先生のインタビューを受けるという機会があった。この企画は私だけではなく、鶴見俊輔《しゅんすけ》さんや谷川俊太郎さん、武満徹《たけみつ》さん、竹宮恵子さん、井上ひさしさん、司修《つかさ》さん、日高敏隆《としたか》さん、庄野英二さん、大庭《おおば》みな子さんらも、対象となっていられる。(現在、『あなたが子どもだったころ——ここ

ろの原風景』として講談社+α文庫に入っていて、たいへん面白い本になっている）ほかの方々の子ども時代をうかがい知るのも面白いが、何しろ河合先生はユング派心理療法の泰斗《たいと》でいられるので、柔軟でゆきとどいた話しぶりで水を向けられると、こちらはついつい図に乗って、それからそれへと気持よくしゃべってしまうという按配《あんばい》。

そして普通ならそういうとき、あとで自己嫌悪におちいるものだが、河合先生と対談したときは、気分がハレバレして、あとあとまで清爽感《せいそう》がある。これは何だろう。カトリックの〈告解〉とは関係なく、人には元来〈告白衝動〉というのがあるのかしら。

今日は京都の有名料理屋さんが会談の席であるが、おいしいお料理を頂きながら、中世・王朝期の物語を話す、という趣向。ところが、先生は私の知らない物語にまで目を通していられて、たいへんな知識量でいられ、一知半解の私など、とてものことに太刀《たち》うちできない。

私はまだ「我が身にたどる姫君」を読んでいない。これは笠間書院の〈中世王朝物語全集〉に入っていましたっけ、とおうかがいすると、先生はこともなく、

〈入ってます。中々、面白かったですよ〉

といわれ、中世の物語群に暗かった私、大きな顔で今まで『源氏物語』を講義していたこと、とはずかしくなってしまう。

対談は王朝の物語から中世の説話集、そして川柳にまで及び、座が弾んでとても楽しかった。私は先生と同世代なので、学殖のほどは先生には及びもつかないが、一時期の時代意識を共有している。戦前日本の話から、あのころの日本を沸かせた社会的トピックニュース、神風《かみかぜ》号の話になった。昭和十二年である。まだ戦争は始まっていない。

朝日新聞社は亜欧一万五千キロ飛行の挑戦を企画する。世界中の航空界も注視する。それまでハノイ、カルカッタ、カラチ、などという南方コースをとる航路は難しいとされて、成功していなかった。朝日新聞社は国産機に神風号と命名し、東京・ロンドン間を飛んで新記録を樹《た》てようというのだ。実をいうとこの年、五月に英国王ジョージ六世の戴冠式《たいかんしき》があり、そのニュース写真や映画フィルムを他社よりも早く持ち帰り、ついでヨーロッパ諸国への親善飛行も兼ねたい、というのが、朝日新聞社の企図だった。日本国民は熱狂する。このころ、ようやく国民の間に航空熱がたかまっていた。朝日の企画はまさに当を得たもので、朝日新聞の販売部数は飛躍的に増えたという。

神風号のニュースが毎日、刻々と載るのだから当然であろう。

当時、小学四年生だった私も、このニュースに胸をおどらせた一人であった。男の子も女の子も夢中にさせる〝夢〟があった。

（この時代、しかしオトナたちの間ではもう一つのブームがあった。朝日新聞と同時期、購買部数を増やしたのに、東京日日・大阪毎日があるが、それは人気作家・吉屋信子の『良人《おっと》の貞操』が連載されたからである。つまりこの時期、国民の関心は片や〈神風号〉片や〈『良人の貞操』〉に二分され、しかも相乗効果によって両々、白熱のニュースになったのだ）

私はまだ幼童だから『良人の貞操』なる連載小説に関心なく（のちには吉屋信子の少女小説に親昵《しんじつ》して、ついには年たけてのち、『夢はるか吉屋信子』を書くことになってしまったが）友達といっしょに、神風号を応援していた。

神風号で盛りあがった河合先生と私、二人の操縦士の名前をいおうとして、ハタと口をつぐむ。われらが人気の〈空の勇士〉（当時の流行語）の名を忘れるとは。

うーむ、うーむ、と二人で唸《うな》り、首をひねるが、同席の出版社の方はお若いから、もとより、昭和十二年のニッポン航空界の快挙などご存じでない。

ついに私が、匕首一閃《ひしゅいっせん》、という感じで記憶をさぐりあて、はしたない大声で、

〈飯沼《いいぬま》、塚越！〉

と叫んだら河合先生も、

〈そやっ、飯沼や！〉

と食卓を平手で叩《たた》かれ、大笑いになった。

飯沼・塚越両操縦士は、東京から僅々《きんきん》四日でロンドンに着き、亜欧飛行を成功させる。五月に日本に凱旋《がいせん》したときの国民のフィーバーといったらなかった。……

その栄光感の記憶を共有するのも同世代だけになってしまった。本当は、こんな〈日本人の成功〉の記憶を、のちの若者に語り伝えてやりたいのだけれど、どこでどうまちがったのか、〈日本人の汚辱〉の記憶ばかりが語り伝えられる。そしてそれは、他国からの強圧的な思想操作に負うところが多い。

ともあれ、先生との対談はとてもたのしく、すがすがしかった。

八月十一日（土）

ゆうべ、京都を脱け出すまでの雑踏はたいへんだった。あとで思えば七時八時に京都を出るより、いっそ、九時十時まで時間を潰《つぶ》して出たほうがいい。昨夜帰宅したらもうパパも寝ていて、しーんとしており、スヌーまでぐっすり。寝そびれたチビとアマがリビングでクッションのなげ合いをしてほたえまくっていた。（ほたえるは近松の浄瑠璃《じょうるり》にも出てくる古語で、いまも古い大阪人は使う。騒々しくわめく、乱《らん》がわしく動きまわる、などの意）口のまわりいっぱい、お菓子のクズをつけて。勝手に菓子戸棚からぬすみ食いをしたのか。早く寝なさいっと叱ったら、その場でクッションを枕に寝てしまう。

今日も暑し。庭ののうぜんかずら満開、赤いカーテンを垂らしたよう。風船かずらは勢いなく、小さいのが三つ四つ、青空に風に吹かれている。しかし、ベゴニアの花は強いなあ。強烈な日ざしのもと、何物にもめげぬ、というさまで、したたかに咲いている。この庭はタナカサンというお花屋さんに来てもらっている。私は秋の萩を見たいと思い、

〈宮城野萩を植えてね〉

と頼んでおいた。『源氏物語』に出てくる、あれである。「宮城野の露吹きむすぶ風の音《おと》に　小萩がもとを思ひこそやれ」――桐壺《きりつぼ》帝が幼い光君を思いやって更衣の母君につかわされた歌である。

タナカサンはほど経て萩を持って来てくれた。日焼けした精悍《せいかん》な顔に汗をしたたらせ、〈ミヤギノ萩はないんで仙台萩を持ってきました〉……

今夜のおかずは、鱧《はも》の刺身に、茄子《なす》とずいきの胡麻《ごま》あえ。ほか、いろいろ。今日は土曜でミドちゃんはお休み。

八月十三日（月）

今日はお盆のならわしで第一家や妹一家を集めて、第一ホテルで食事、ということになっていたが、いつもより遅くショートステイから帰ってきたパパは、疲れたからいかない、という。

珍しいこともあるものだ。

でも皆を集めているので、パパについてくれるS夫人一人を残して、皆でホテルへいく。それはそれで面白かった。中華料理のチーフの陳さんは、おばゃまが来られるというので、やわらかい、暖いメニューにしました、とのこと。

みなで礼をいう。若い世代も、おいしい中華料理だったと満足していた。

私、早々と帰ってみた。パパは疲れたのか顔色もあまりよくないが、面白かったかという。

何だか、心、ここにあらずという風情。

それは私にこんな歌を思いつかせた。

「いままでは　だまって　ついて　来ましたが　神さまいいです　もうこのへんで」

——縁起でもないわ。

〈あーたん、早引けしてきたの？　ぼくがついてるから、ゆっくりすればよかったのに〉

とスヌーの心配そうな顔。

せっかく楽しみにしていた〈お盆の一族集合大パーティ〉だったのに。

八月十四日（火）

小泉首相が八月十三日に靖国神社へ〈前倒しに〉参詣《さんけい》したというので、マスコミは火がついた騒ぎ。

同じ参拝するなら十五日にすればいいのに、と私などは思う。まあ、どっちでもよい、参拝するほうがいい。中国の唐家璇《とうかせん》外相には〈やめなさいとゲンメイしました〉などといわれ、田中外相は小泉首相には反対の立場をとり、中国側に同調している。こんな外務大臣がいるものだろうか。自国より他国に従うなんて。

私はといえば、小泉さんに賛成だ。神道がどうの、一級戦犯合祀《ごうし》がどうの、というより前に、すでに、〈ヤスクニ〉は日本の土俗になりつつあるのではなかろうか。心象的にはヤスクニの祭霊は土俗神に近い。島倉千代子の〈東京だよおっかさん〉ではないが、

〽逢《あ》ったら泣くでしょ、兄さんも……

というのが国民の底の底なる〝想い〟ではなかろうか。

八月十七日(金)

今朝の朝日新聞、小泉首相の靖国神社参拝の模様を報道するのに、「珍妙だった」と形容していた。何でも宮司さんのお祓《はら》いを、正面から受けると、ことごとく(公式的に、という意味もあるのかしら)なるので、ちょっと遠慮っぽく、なかば私的に――というつもりでか、斜め向きに受けたらしい。らしい、というのは、その場の情景、私が見たわけではない上、新聞の状況説明の文章が分り辛《づら》かった。その異例のお祓いをさして「珍妙」という。

自国の首相を「珍妙」と嗤《わら》うことがあるだろうか。これは貶《おと》しめた形容である。その社の政治的見解から発した感情が反映している。

新聞は公正な報道を旨《むね》とするものであるのに、私的な感情をさしはさむのはどうかと思う。ここは〈異例のお祓い〉とでもいうべきだろう。

今朝、九時ごろ、パパは口から血を出した。Y夫人の知らせで私とミドちゃんはびっくりして飛んでいったが、しばらくして血は止まった。パパは例によってまじまじとしている。

〈気分、わるいの?〉

というと、ハッキリ、

〈いや、気持わるいだけ〉

といい、持ってきた洗面器に吐いた。血はすぐ止まったようだった。顔色もふつうで、歯ぐきの出血かと思われた。

しかし夜、六時になって食事しようという間際、また、口中血だらけ、この時間なら、大阪の歯科医院に勤めている姪《めい》のマリが、もう帰るころだろうと思い、ミドちゃんに連絡してもらう。ちょうど帰り間際だったといって、待つほどもなく来てくれた。

パパはいつもの椅子に坐《すわ》らせられ、マリちゃんの持ってきたキカイで口中を照らされ、覗《のぞ》かれ、触られ、おとなしくしている。いつもなら、わがままの限りを尽くして、もうええ! とふり払うところを、

〈マリちゃんだから、おとなしくしてらっしゃいますよ〉

とミドちゃんは私にクスクス笑いながらいう。わが家ではパパは〃若い女の子好き〃ということになっている。マリだって、もうそんなに若くはなく、お医者の〃ご主人〃もいるのだけれど、子供がいないから、いくつになっても若々しい。見ていて

小気味よい軽快な身ごなし、うららかな笑顔で、〈伯父《おじ》さんのこれ、少くとも内臓疾患じゃないと思うわ、口の中の血やわ。くわしく診ないとわからないけど、血止めだけしておきますね〉といって処置してくれた。明日、パパは桃寿園へショートステイなので、帰ってから、歯医者さんに連れていき、〈ちゃんと診てもらう〉ことにする。心配そうなスヌーやアマ、チビたちもホッとする。ただしパパは夕食抜き、私とミドちゃんは頂いた。

何だか芯《しん》の疲れた一日だった。その代り、明日から私の休日である。パパをショートステイにやって、私とミドちゃんとで、一宮《いちのみや》の別荘で夏の休暇を楽しもうというのだ。――この二、三年、気の休まるヒマもなかったからなあ。

八月十八日（土）

迎えにきた桃寿園の人に、パパが歯の疾患で血が出ます、ということを伝える。パパはいつも通り、気の進まぬ風で――それでもあくまで行かぬ、という我は通さない。もちろん、いそいそとしてではなく、〈しょうことなしに〉というか、〈運命を甘受する〉というか、何かの犠牲者のように、痛みに耐えるような顔つきで、車椅子のままバスに乗せられて出かけた。

そのあと、一宮町からお迎えの車、これは一宮町の住人で、別荘を管理してくれているNさんが、愛車を駆って来てくれたのだった。銀色のカブト虫のような、小まわりのききそうな車だ。

〈ワシはもうちいと大きい車が《の》エエんじゃけどの、ウチのが、大きい車はよう運転しきらん、いうでの〉

とのこと。ウチの、とはむろん、おくさんである。おくさんも、別荘の清掃を引き受けて下さったりして、ともどもお世話になっている。宝塚から高速へはいり、山崎で下りるが、この中国縦貫自動車道、山間部はいつも曇って時雨がち、通過してしまうと、雲が切れて陽がさしてくる。村の話（行政的には町だが、人々の意識では地区ごとの村である）、村の友人だれかれの噂、六十代半ばのNさんは、話題が豊富で、率直、快活な人である。ヴォキャブラリィは少くても、天性、話術に長《た》けているとみえ、彼の話を聞くのは私にはいつも楽しい。それにユーモア感覚に富み、彼自身は、

〈これはワルクチやないけんど、の〉

と前置きしていう、人の〈ワルクチ〉なるものが、物凄《ものすご》くおかしくて抱腹させられ、いわれた対象の人も好もしくなってしまう。――〈野《や》に遺賢あり〉、はホントウだとつくづく思う。――こんなに楽しく頭のいい人（これは両立しにくい）は、めったにいない。

二時間近くで、村に近づく。左へゆくと鳥取、道を右へ取って揖保川《いぼ》をさかのぼると播磨《はりま》の奥、宍粟《しそう》郡（この名は「風土記《ふどき》」にも出てくる）、まもなく伊和《いわ》一族の守り神だった伊和神社の鬱蒼《うっそう》たる森がみえる。この播磨一の宮の名から一宮町。更に支流をさかのぼり、やっと小屋に着く。

私とミドちゃんがあっといったのは、小屋のまわり、いちめんの黄色コスモス、夢の世界になっていたから。……種子をまいてくれたのもNさん、

〈ちょうど、ええ時期に来てもろたの〉

とNさんも満足気だった。小屋は黄花の中に浮かんでお伽話《とぎばなし》の絵本のよう、この時ばかりは、

（パパに見せてやりたい！）

と強く思った。（しかし、しばらくすると、やっぱりパパを連れてこなくて、よか

った！　と、思わないではいられない。昔の彼なら、田舎の風光も渓流の瀬音も、空気も土の色も、丸太小屋というような、山荘のたたずまいも、いかにも〝気に入った〟――という風情だったが、近年は着くなり、〝もう帰ろ〟といい出すようになっていた。どこか精神の根太が抜け落ち、自分でもそれに慣れず、当惑している、というところがあり、私は同行の人たちや、喜んで集ってくれる村人たちに気を遣うこと、おびただしかった）

夜はお隣の民宿から、たべものを運んでくれる。Nさんが〈動かせる囲炉裏《いろり》〉という風な、大きい火鉢に炭を熾《おこ》してくれて、牛肉（このへんの宍粟牛である）や山女《やまめ》、野菜などを焼く。民宿のご主人も加わり、たのしいよもやま話、町者には、イワナがどうの、蛍がどうの、今年の松茸《まつたけ》は、という話、ことごとくめざましく興深い。それにしても、お隣に民宿（というより、今や旅館という風格ができた）があってよかった。今日のお昼も、車中から携帯で、〈焼きうどん、お願いね〉といっておいたら、着いたころ、届いた。これが私のお気に入りの味なんだ。

ベランダに出たら渓流の音が高く、星々はごく近まにみえる。

八月十九日（日）快晴。

ゆうべは夢も見ず、ぐっすり眠った。朝食はまたお隣から運んでもらう。Nさんに、ここからもっと奥の御方《みかた》神社へつれていってもらった。天文《てんぶん》年間の建築で、こんな山深い里に、目をみはるように美麗な彩色の神社である。最近、修復されて、いよいよ出来たてのケーキみたいに美しかった。伊和神社の神寂《かんさ》びた風韻とはまたちがって魅力的な神社だ。昔、ここの秋祭をパパと見に来たことがあったっけ、そのころはパパも元気でハンドルを握っていた。野道の参道に、幟《のぼり》がはためいていた。「天下泰平」「万民安楽」「五穀豊穰《ほうじょう》」……神社では小・中学生の奉納相撲があり、わっ、わっ、という歓声が野山にひびき渡った。小学唱歌の、〽村の鎮守の神さまの……という歌の通りだった。パパも私もすっかり楽しんで子供相撲を応援した。……

午後、私は黄色コスモスの咲き乱れる小屋のまわりを写生して彩色した。やっぱりパパにみせたくて。

ミドちゃんは渓流の中の大石に寝ころんで読書、彼女はこの大石を〈私の専用〉といっている。楓《かえで》の青葉がふさふさと頭上に茂り、川風が渡って極楽、というが、そこ

〈いくには飛石伝いに渓流をわたらねばならないので、私はいったことがない。今夜も、Nさんが来てくれて、三人でたのしい夕食、お酒もほどほど。大体、Nさんはおしゃべりのほうが酒より好きらしい。なるほど、発見。話巧者《こうしゃ》で、酒も飲む——なんて多々益々《ますます》弁ず、というような人はいない。どっちかだろう。——ともかくいい夏休みだった。

八月二十日（月）

Nさんに送ってもらい帰宅、うちで昼食（カレー）、Nさんは〈おっちゃんによろしく〉と帰っていった。

そのおっちゃんは午後、ショートステイから送られて帰って来たが、連絡帳にかなり多めの血が口から出ました、とある。病院へ連れていこう、とにかくにあわただしく決定。知人がいる伊丹の病院に電話をすると、すぐ来られるか、とのこと、夕食も摂《と》らずにタクシーでゆく。このごろ、夜のあいだ中、パパを見てもらっているUさんに、直接、病院へ来てもらう。レントゲンをとり、個室を押えてもらい、とりあえず

入院、

〈大丈夫よ、検査だけ。心配しないで〉

と私は力づけたが、パパは茫然《ぼうぜん》とベッドに腰かけたまま。そのさまは、過ぎ来《こ》しかたをくやむようでもあり、ここまでなだれ落ちた運命がどうしても腑《ふ》に落ちない、というようでもある。——近来、ものをいわないのが癖になってしまい、まわりが、こうでしょう、ああでしょう、とお膳《ぜん》立《だ》てしてくれるのに慣れて、すっかり下駄をあずけっ放し、あなた任せが身についてしまったので、一人にされると途方にくれる、という、パパのたたずまいだった。

帰宅、どっと疲れた。食事はビールで流しこむ。

八月二十一日(火)

台風が来ている。二時、読売新聞の取材、病院からUさんの電話で、明日、口腔《こうくう》外科の先生が話があるといわれるので、気が気ではなかった。上顎《じょうがく》部に腫瘍《しゅよう》とのこと。思いもかけない。私は、パパの両親とも脳血管の病いで亡くなっているので、死病はてっきり、それで、だろうと思っていた。癌というのは意外だった。

夜はすき焼きだったが、私もミドちゃんも箸《はし》はすすまず、老母ひとり健啖《けんたん》である。

スヌーは目を伏せて考えごとにふけり、アマたちは話すのも声をひそめて、まがまがしい雰囲気になってしまう。

八月二十二日（水）晴

夕方、指定された四時過ぎ、病院へいき、二階の口腔外科で、F先生の説明を聞く。上顎、下顎とも腫瘍あり、場所が場所だけに手術はできないので、放射線で、とのこと。しかし体力も弱っているので堪えられる限界で、との話。その話にショックを受けるよりもまず、臨機応変の対策を、という発想が私のあたまに浮んだ。ショックはそのあとで、ゆっくり一人で味わおうというのが、正直なところだった。

たぶん、私の過ぎ来《こ》しかたの人生はいつも臨戦態勢の非常時だったからだと思う。

全く、私の四十代半ばから五十代・六十代、鎬《しのぎ》を削る白兵戦《はくへいせん》の時代だったといっていい。

昭和五十四年に夫が最初の発病をして以来、病人を看《み》て、私一人で、計画中だった家を建て、子供たちの身のふりかた、診療所閉鎖のさまざまな折衝、手続き、そのあいだも（今にして思えば）毎月、我ながら胸の悪くなるほどの、物凄い執筆量であった。締切は常に遅れ、FAXもない時代だから、自身、空港まで届けにいったりした。どのくらい出版社や新聞社に迷惑をかけたかわからない。小説雑誌の全盛時代で、書いても書いても注文があったころだった。いつも新しい小説の趣向を考えながら、別の終盤近い小説の幕引シーンを同時に考えていた。まるで、刻々変る戦況に果敢に対応して、ともかくこの場を凌《しの》ごうという悪戦苦闘中の作戦参謀みたいなもの。

その癖がいまも出る。

先生はもう一度、くわしい検査を、とのことなので、私は、〈主人の弟が外科医ですので、それを呼んでおきますからそのときに結果や、あとの予定をお聞かせ下さい〉とお願いした。私は明後日の講演はキャンセルできないし、義弟も病院を持っているので、すぐこちらへ来ることもできないだろう、日をきめて、みんなで先生のお話を——と思った。

病室へいってうつらうつらしているパパの顔を見ると、やっぱり、よよと泣けない。

作戦参謀たるものはそんなヤワなことをしてられない。でも、涙は出てくるので裾《すそ》へ廻《まわ》って、〈足、だるくない？〉と擦《さす》っていた。病院へ詰めてくれている家政婦会のU夫人は、家庭向きの仕事よりも病院勤務のほうが手馴《てな》れているらしく、水を得た魚のように、一層きびきびして、看護師さんたちとも早やうちとけ、パパの世話を焼いてくれる。しかし私としては、どうかして家で死なせてやりたいと思っている。

八月二十三日（木）晴

明日の講演の準備で夢中。パパは容態が安定しているとのU夫人の電話で、病院へはゆかなかった。パパは重湯《おもゆ》と、具が何も入っていない味噌汁《みそしる》を、おいしいといって、あまさず飲んだよし。

八月二十四日（金）

リーガロイヤルホテル恒例の講演会。今日は〈夢はるか吉屋信子〉である。今年のテーマは〈古典の楽しみ〉ではあるけれど、吉屋信子や林芙美子《ふみこ》、杉田久女《ひさじょ》、現代川柳の世界など、近代にも少し輪を拡げた。右の女流はもう、古典になっていると思うので。まあまあの出来。すっかり疲れ、新潮社の人を誘って伊丹まで帰って〈すし善〉へ。この講演は新潮社から出版されるはず。

帰宅してみると、留守中に老母が足の具合を悪くして、妹夫婦らが車で近くの整形外科のお医者さんへ連れていってくれたよし。

〈大丈夫だったから〉と妹たち。私は礼をいったが、いやはや、伏兵あらわる、と思わずにいられなかった。

〈おばあちゃんが、急にあるけないといって、たいへんだったんだ〉とチビがいそぎ報告する。老母はもう眠っていた。

〈そんなことといったら、あーたんが心配するじゃない？　おばあちゃんはもう、ちゃんと元気になってるんだもの〉とスヌーの、大人っぽい取りなしかた。あと先見ずのシャベリンのチビをたしなめる口調である。

いつか、私はどこかへ〈神サマは寝首を掻《か》く名人だ〉と書いたことがある。あるいは何ごころもなく立っている人のうしろへ廻り、膝《ひざ》の裏を突いて、ひょこつかせるとか。

神サマに対抗するのは大変だ。全智全能である上に、〈悪ヂエ〉という方面もそなわっている。人生の参謀としては、気が抜けない。

八月二十六日（日）

今日は日曜でミドちゃんはお休みだから、私一人で病院へいった。お見舞いの花いろいろに埋もれている。テレビを見たり、うつらうつらとしたり、パパは一見、それほど弱っていないようにみえるが、なぜか、心が身から離れ出し、

（ワシの出る幕、ちゃうわッ）

というふうにみえた。私、一生けんめい気を引きたてようとして話しかけるけれど、どこかもどかしい感じ。パパは私の話より、何か虚空の物音を聞くのに心奪われたさまだった。

八月二十九日（水）

東京・読売ホールで講演。ＪＲ東海主催で「『源氏物語』の世界」。秋山虔《けん》先生とお目にかかれたのは感激であった。私は秋山先生のご本で「源氏」を勉強しながら、初対面であった。私より先に講演され、〈今日は私はタナベサンの前座でありまして〉と聴衆を笑わせられる。当代の碩学《せきがく》でいられる先生は、どれほど気の置ける方かと思われるが、気さくで温和な方で、私は控え室で、講演の前というのに、思わず話しこんでしまった。

しかも先生はいわれるのである。

〈やっぱり『源氏物語』は、女性が読んでこそ、その細部が汲《く》み取れるのではないでしょうか。ぼくなど今でも、女子大生の人たちに、先生、ここはこうではありませんか、といわれて、なるほど……と思うことがありますよ〉

まあ、こんなに有識明達の先生が、と私は謙虚なお言葉に感じ入ってしまった。

そのたのしい昂揚《こうよう》気分のせいか、講演もたのしく出来た気がする。聴衆にすっかり親和感が持てて、拍手も熱っぽく感じられた。

この主催者側が今までと違うのは、講演が終るや否や、口々に、とてもよかった、面白かった、と控え室へ入ってこられたこと。中年初老の紳士方が、無邪気に〈びっくりしました、『源氏』ってあんなに面白いんですか〉などと感激して下さるので、こちらも一層の感激だった。——じゃ、講演は成功だったのかと自信が出た。あと味のよい講演は人生にふりまかれる砂金のような思い出になる。山の上ホテルへミド嬢と帰ってみると、もう時間おそくレストランは閉まっている。新館でスパゲティなどですませ、本館のバーで水割り二、三杯。疲れ果て、熟睡。

八月三十日（木）　晴

今日もテレビ出演のため再泊。昼前、散歩に出て昼食を摂り、ホテル前の坂をあがってゆくと、もう秋の風だった。

老母の足と腰痛はどうなのか。留守宅には来てくれる人を頼んでいる。病院のパパはどうだろう。再検査して良性であればよいが。

誰もみな、浮世ではやっている苦労であろうけど、作戦参謀としては、あれこれ人生の戦術を考えないといけないわけである。

「いささかは　苦労しましたと　いいたいが　苦労が聞いたら　怒りよるやろ」

れいの、ひとりよがりの歌である。更に大きい苦労が、前途に待っているかもしれないのだ。

八月三十一日（金）

午後帰宅してすぐ病院へいく。病状は更によくなく、やはり悪性だったと。

九月四日（火）

夕方、義弟がおくさんを伴って私を迎えにきてくれた。ミドちゃんと乗る。車に疎い私、車種は不明だが、新しすぎて乗り心地はイマイチ、しかしそれは車内にひびくハードな音楽のせいかもしれない。音量もかなりのものだったが、これは人さまの趣味であるゆえ、口をさしはさみかねた。しかし担当の部長先生の診断結果を聞きにゆくという、ただいまの状況にはすこし不釣合の気もした。

先生は腺癌《せんがん》で、悪性といわれる。レントゲンフィルムを見せて頂いても素人にはよくわからず。

〈丸山ワクチンは〉と私がいったら、義弟は〈いや、F先生にすべて任せて〉といい、私は義弟を信頼して任せることに。

九月五日（水）

夏物を、秋・冬物に入れ替え。厚手のパジャマや長袖《ながそで》シャツなど病院へ持ってゆく。

今日ははじめての放射線治療の日、しかしさほど疲れたようには見えず。私は桃の果肉を刻んだものをカップに一ぱい入れ、匙《さじ》ですくって食べさせた。夫は、もつれない、はっきりした声で、合間に聞く。

〈いつ帰れるねん。ワシ、病気かいな〉

マトモな顔で、マトモの質問だった。

ほんとにわからないのかしら。天来の妙音のように、超現実的な言葉にきこえた。

義弟はこのまえ、病室へ入るなり、夫がにっこりして見てくれたというので、それがとても嬉《うれ》しかったといい、〈あたまは大丈夫やな〉といっていたが、今日の質問ではそれも心もとなく思われる。冗談にはぐらかすこともできないし、私は思わず釣られて、

〈そうよ、パパは病気なのよ〉

というと涙が、まぎらしようもなく出てしまった。パパは考えながら桃を食べている。彼の習性として自分の病状に無関心、という特徴があるが、その線上だろうという気もした。

私は気を取り直して、私の描いた風景画を見せた。この前、田舎へいったときの黄色コスモスに包まれた山荘の絵である。

〈どう、これきれいでしょう、また行きましょう、コスモス散ってるかもしれないけど〉

と見せると、彼はうん、という。

〈あたしの絵、いかがですか〉

〈天才〉

ミドちゃんは横から半身をパパに向け、
〈あたしはどうですか、大先生《おお》〉
〈凡才〉
大笑いする機会を与えられて私はとても嬉しかった。

九月八日（土）

今朝起きてやっと身心に力みなぎるのをおぼえた。ゆうべ、久しぶりにぐっすり眠ったせい。六日は神戸の朝日会館で「川柳の世界」というタイトルで講演、私は講演の途中で原稿を見たりせず、どんな時でも、そらでしゃべるのだけれど、一応のメモはオペラバッグに入れて携える。ところが会場へ着いてみると、メモを忘れていた。でもいつものようにしゃべることができ、皆さんに喜んでもらえてホッとしたが、疲れた。

このごろ、老母のために、夜、そばにいてもらえる人を頼むことにした。母は、寝室にヨソの人がいると寝にくいだの、私は心配しないでも大丈夫だからというが、私が傍についているわけにはいかないので、どうしても人手を確保しておく必要があるのだった。中年の頑丈そうな体つき、元気なSさんは、母の拒否にあってとまどっているが、山口県出身のよし、母は岡山なので、お国訛《なま》りが少し似ている。母はそれで少しずつ心を開いたようである。

山陽道の方言の特徴は粘稠度《ねんちゅうど》がたかく、抑揚がきつい。チビは特に、Sさんの、

〈大体〉

という言葉に、異常な関心と興味を持っている。Sさんはこれを、

〈でぇてぇ〉

と発音する。それが聞きたさに、チビは何度でも、〈大体、どこが痛いのですか〉といわせて笑う。しようのない子だ。Sさんによると〈でぇてぇ、どこがいてぇのですか〉になる。しかしSさんは気のいい人で、〈私は病院派遣ばかりやったけぇ、家事は不向きですが〉といいながらでも、母の面倒を見たり、掃除をしてくれる。夕食前に来て、朝食前に帰るという勤務時間で通いの人とバトンタッチするわけ、私も出張が多くなるので、これで後顧の憂いなく動けるというもの。もう、人件費がどうの、といっていられない。とにかく戦時状態に突入したのだ。

昨日七日、病院へいくとパパはわりに元気で、それほど〈しんどそう〉でもなかった。食欲があるのが頼みの綱で、いろんな食べ物の話をしていると、〈カツカレーが食べたい〉とのたまったりする。私とミドちゃんは気持が明るんで、うん、持ってくるね、と弾んだ。

午後、産経新聞の人々来《きた》り、いろいろ話が出て面白かった。私が新聞を五紙取っているのは、それぞれ社によってニュースの取捨選択が違うから、それに興味があってね、と私はいった。たとえば七日付の産経には、「北朝鮮が利息滞納」なんて記事がある。「日本政府が平成七年に行った北朝鮮への有償コメ支援で、北朝鮮がコメ代金約五十六億円にかかる利息総額約五億九千万円を滞納していることが六日、食糧庁の調査で分かった」というもの。「日本側は昨年の日朝国交正常化交渉でも支払いの問題提起をしたが、北朝鮮側からの回答はなく、未払い額の延滞利息も約一億円にのぼる状況となっている」よし。

北朝鮮へのコメ支援の話は、各紙にも出るが、有償コメ支援の支払いのその後なんて、どこにも出てこない。「日本政府は平成七年六、十月に、計三十五万トンの有償コメ支援を実施。最初の十年間はコメ代金の利息分のみを支払い、その後二十年間で元利返済する契約とした」。しかし北朝鮮は平成八年に八千四百万円を支払ったのみ、だそうだ。それ以降は毎年約一億一千万の利息が未払いで、延滞利息を加算すると、滞納総額は「今年八月末で五億九千万円に達した」とある。「督促状を出しているが、返答はない」と。

平成八年以降のコメ支援は「世界食糧計画（WFP）を経由して行われている」

このニュースは他紙には一切ない。

このニュースによって私が何か、行動を起す、というのではない。他紙に取りあげられない、ということで、〈ふーん〉と思うだけ。それにまた、個人では想像もつかない大規模な借金延滞を平然と続ける国があるという事実にも、〈ふ～ん〉（こっちはもっと長いふーんである）と感じ入るだけである。産経には何でものっている。

しかし産経だって書き洩《も》らすこともある。

今年の五月十六日の新聞には、よど号メンバーの娘さんたち三人が帰国し、記者会見をした記事がいっせいに載った。元赤軍派メンバーたちは北朝鮮でそれぞれ結婚していたらしい。三人の娘さんはみな二十二、三で、なかなか可愛いお嬢さんたちだった。日航機「よど」号を乗っ取った彼女らの父親の所業については批判的で、今後の抱負を問われて、〈疲れたから温泉にいきたい〉〈バイトもして自分に合う職業を探したい〉などと殊勝なことを語っている。これは各紙、大体同じ記事。ただ一つ、毎日だけは、

「よど号事件で公判中の田中義三被告（52）の支援活動に加わるという」

とある。これまた、私には、〈ふ〜〜ん〉であった。三人の娘さんのうちの一人は田中被告の長女である。さもあらん、と思われる。しかし支援活動については産経も書いていない。だからどうだというのではない。ニュースというものはそういうもので、長いこと時が経ってから、自分の中で整理されたとき、何かが明確に顕《た》ってくるのだ。

九月九日（日）

ヤナちゃんの作ってくれたカツカレーを昼に病院に運ぶ。パパとUさんは喜んで食べてくれた。何だか気分が明るんで、みんなうまくいくような気がした。今日はミドちゃんがお休みで、私はカラの容器を持ってタクシーで帰った。病院通いも長くなり

そうな気がする。

九月十日（月）暑し。台風が来ている。

午後、取材。カメラマンが熱心すぎて二時間かかり、くたびれてしまった。病院へ行く気力もなくなる。写真をうつされるって疲れる。

夕方、病院から電話あり、Uさんからパパに代り、たよりない声で、〈今日は来え《け》へんのか〉と。今からでも行こうかという気になったら、電話口でUさんの声、何か教えこまれたらしく、取ってつけたように、〈愛してるデ〉とパパ。思わずふき出して、〈また、カツカレー持っていきますよっ〉

しかしUさんが代るとグッドニュースではなかった。今日は治療をいやがり、暴れられました、という。〈今はおちついていられますけど〉

パパの症状について聞く。パパの個室が電話つきなのは助かるが、内緒の話のときは、テレビの音を大きくしている。いまはちょっと安定しているといっても、家へ帰れる状態ではないらしい。でももし一日二日でも帰れるようなら、寝室を少しでも明るくするため、木のドアをガラス戸にしてもらおうと、私はいそがしく思いめぐらせた。

六時十分ごろ、庭に出てみたら、空に薄いが壮大な虹《にじ》がかかっていた。しかも二重だった。

綺麗《きれい》なものを見たのに、私はかえって、何もかもいやになった。おちこんでしまう。

〈ああ、どっかへいきたーい〉

と思わずいってしまう。これは逃げていきたい、ということである。

〈へへ。〝あの世〟しか、ないやろな〉

と、庭の白いテーブルに飛び乗ったチビが、したり顔にいう。私はいう。

〈〝あの世〟は困るなあ。やっぱり、〝この世〟しか、いくとこ、ないか〉せっかく、〈虹も出るんだしィ〉というのへかぶせて、〈タメイキも出るが〉……と、自分で受けなければしかたない。元気なときのパパと私は、いつもそんな漫才をやってて、昔はいつもパパのほうが漫才は巧《うま》く、このトシで私もやっと追いついたというところだった。そうなると、相方《あいかた》がぽしゃってしまった。うまくいかないもんだ。

九月十三日（木）

毎日、うなぎ弁当や松花堂弁当を持って病院へ通い、わりに病人も食欲があるので喜んでいたら、まあ世界的な大事件が起きたこと。

十一日にニューヨークやワシントンで同時多発テロが起きた。十二日付の夕刊には世界貿易センタービルが崩壊炎上する写真が、どのページにも載っている。飛行機が突込んで自爆、ビルを破壊させるという荒っぽい捨て身戦法は、戦争中の日本の神風特別攻撃隊、特攻そっくり。世界貿易センターには日本企業もたくさんはいっているので、邦人の安否が心配、とテレビや新聞ではいっている。

私は原稿の締切に追われていて、こっちのほうもカチカチ山、背中に火がついているのだが、この驚天動地のテロ攻撃のニュースから目を離すことができない。

いくらアメリカの権力と富の中枢だといっても、数千の市民がいるビルを、（自分も含めて）ぶっとばすという発想は、これは宗教的酩酊《めいてい》者でないと、フツーの神経では敢行できない。日本のカミカゼ特攻隊も、国中が思想的に酩酊していた時期だったし。

昨日の夕刊では同時テロに関与しているとしてサウジアラビア出身の富豪、ウサマ・ビン・ラーディン氏の名をあげていた。中東情勢は暗い、というよりあまり関心なかった私は、反米・反イスラエルのテロリストたちの強い宗教的情熱に今更のように戦慄《せんりつ》する。

何度もくり返されるテレビニュース、

〈小説ではこんなシーン、あるけどねえ〉

とミドちゃんと言い交すばかり。

〈国際謀略やら、テロ、スパイの小説が実地になったんですもの、小説家はこれから書きにくくなりますね〉とミドちゃん。

〈よかった、あたし、その縄張りでなくて〉

――しかし二人でいくら考えてもわからないのは、アメリカはFBIやCIA、情報の世界の総元締みたいな観がある国なのに、この同時テロが防げなかったのはなぜだろう？　ということだった。

そして何より、炎々と燃えるビルの火が、阪神大震災と重なり、大阪大空襲とダブり、あの中の被害者を早く救助してほしい、という祈りで、心が煎《い》られるようだった。

九月十六日（日）

三重県、関町へ講演に。昔ながらの宿場町が残されていて、風情のあるところだった。講演は「川柳の魅力」だったので、みなさんに喜んでもらえた。〈東海道四百年〉のイベントの一環。リュック姿の旅行者が昔ながらの宿場町（観光用に作られたそれではなくて、ちゃんと町民が住み、生業《なりわい》にいそしみ、生きている町）のたたずまいをたのしんで歩いていた。中年や熟年のご夫婦づれとおぼしいカップルも多く、鈴鹿《すずか》山ふもとの宿場町はうららかな日ざしだった。日帰り講演で、帰宅すると七時半。東京から弟が来ていて、母と、夕食を待っていてくれた。今日の献立は、湯豆腐、南瓜《かぼちゃ》の煮《た》いたの、鰈《かれい》の焼きもの、菜の花のおひたし、お清汁《すまし》は鱈《たら》の白子と葱《ねぎ》、というもの。

九月十九日（水）

昨日は大津の市民会館で「『源氏物語』の魅力」の講演。よそはたいてい午後二時開始であるが、ここは一般人対象の講座なので夜の七時からにしてほしいという要望があり、(それなら泊りがけになる)しかし一般人が聴いて下さるなら、と承知した。満員の会場に、思ったより男性の姿が多く、女性六、男性四、ぐらいの、珍しい割合(大抵は男性が一割程度)。「源氏」と聞くと逃げ腰になる男性が多い現代、この現象はまことに嬉《うれ》しいかぎり。終って八時半、途中で起《た》つ人もなかったのは心強い。車でホテルへ引きあげる道みち、会館から出てこられた何人かの男性たちを追い抜いたが、近くのご自宅からやってこられたのか、サンダルばきの熟年男性もいられた。

左手はものかげにまぎれて見えないが、湖岸で、右はたてものの植込み、暗い通りである。――サンダルの足音はゆったりと満足気で、「源氏」の講演《おはなし》は、このかたにとってお心ゆくものであったかしら、どうかそうであってほしい、と、〈単身《おひとり》で、〝源氏〟を聴きにきて下さった熟年男性〉に、ものなつかしい共感をもってしまった。

――ここの講演謝礼は普通より安めだが、まあいいか。

今朝早く帰り、一服する間もなく病院へ向う。ヤナちゃんの作ってくれた松花堂弁当を持って。

パパは意外に元気で、知人のK青年がちょうど花籠《はなかご》を持って見舞いにきてくれていた。入院以来、お花をたくさん頂き、病室は花園のよう。その間に小さい私の絵がある。私は葉書大の画を描いて額に入れたのを、パパのベッドから見えるような場所に置いている。水彩や色鉛筆で描いた柴犬である。

かねて私は川浦良枝さんの〈しばわんこ〉シリーズが大好きなので、（柴犬好きのミドちゃんもむろん、しばわんこファンである）〃しばわんこ〃をお手本にして描く。今日の新しい絵は、柴犬がにっこり笑って（笑ってる犬、というのがむつかしかった！）日の丸の扇子をふりあげてる図。その横に、

〈パーっといこうぜ！〉

とセリフを書き添えた。この、〃コピーしばわんこ〃はどれも、〃おっちゃん〃を激励してくれるのである。（うちのチビは、嫉妬《しっと》ぶかいので、しばわんこを目のカタキにしているが）

Ｋ青年は絵をほめてくれる。彼は何によらず、私や〃おっちゃん〃をほめてくれるやさしい子であるが、そこに〃おべんちゃら〃の臭味はない。阿諛《あゆ》追従《ついしょう》から最も遠い人柄であるが、私の見るところ想像力がゆたかなのであろう。（想像力を悪用すればおべんちゃらになるだろうが）

〈この柴ちゃんは、けなげで可愛いですね。きっと、おっちゃんは元気になりますよ〉

Kくんはパパをかえり見、

〈おっちゃんは若いなあ。なんでそう、髪が黒々してるのかなあ。ぼくら、もうあたまのてっぺんと生え際が薄うなってますよ。なんでですかね〉

〈そらァ、きみは脳味噌《のうみそ》が薄いからやろ〉

〈かもしれません〉

Kくんは、あたまに手をやって笑い、私も嬉しかった。パパの冗談は、元気なときそのままだったから。U夫人は、今日は朝から、こんな風でいらっしゃいます、という。

松花堂弁当を長いことかかって、あらまし平げたが、あんなに好きだったお刺身を残していた。しかし今までになくしゃべれるようだ。お大事に、とKくんが帰ると、おのずとパパと私はKくんの噂になる。

〈あれ、まだ女房《よめはん》の来手《きて》はないのやろか。まじめな青年《こ》やのにな〉とパパ。

〈まじめすぎるのかもしれへんね。まじめがパンツはいてるような子やから〉

〈こら。気ィつけい。女のいうこと違《ちゃ》う。品格、いうもんあるやろ〉

〈ふふ。じゃ、まじめがネクタイしめてるような子といいますか〉

〈それなら可、じゃ〉

なんて。

Ｋくんは酔うと歌がうまい。彼の生れた九州の炭鉱街では、酒席で順ぐりに歌うとき、相の手《あいて》は、〽それでも歌かい――と入れるそうだ。応じて〽泣くよりゃましだよ――と返し、座はいっそう盛りあがるということだった。

〈その相の手はエエなあ……〉

とパパは嬉しそうにいった。

〈こんどからお酒の席で、そう相の手を入れることにしようね〉とわたし。

〈うん〉――こともなく、パパはうなずく。

一階の会計で何十万という金を払った。〈こんどからの酒席〉って、あることかしら。

九月二十五日（火）

昨日のお昼はお好み焼き、ヤナちゃんが作ってくれた。料理はみな働いている人に任せていて、彼女たちは和洋華、なんでも作ってくれるけど、お好み焼きだけは、これはないでしょう、というしろものだった。厚さ一・五センチくらいあり、どこから攻めようか、とあぐねるトーチカのようなしろもの。（トーチカなんて我ながら古いなあ）

お好み焼きというのは、家さまざま、人さまざまだが、それぞれが、自分の作るのがいちばんおいしい、と思っているから、おかしい。ヤナちゃんも巨大トーチカのようなお好み焼きが自慢らしく、

〈これは冷えてもおいしいんです。主人はお弁当に持ってゆくことがあります〉

とにこにこしていた。

私のは、その場で食べないと、風味がそこなわれるもの。……いつだったか、お昼につくって、パパやミドちゃんに食べさせたことがあったっけ。軽くてふんわりして、いくらでも食べられる。メリケン粉を、冷《さ》ましただし（昆布とかつお）でさっくり練ったものへ、長芋の擂《す》りおろしたのを混ぜる。卵を割って……これも何個が何人、と

はきまらない。

お好み焼きは、すべて、〈気のまま風のまま〉というところがある。ひとつまみの塩、ただしキャベツの刻み方は少々うるさい。細かすぎては水っぽく、太すぎても口の中であばれる……という具合。豚肉も細めに切ったほうが、ふんわり感に富む。……などと、蘊蓄《うんちく》をかたむけたところで、実際に作らなくては机上の空論である。いつか作って、パパやミドちゃん、ヤナちゃんらに食べさせてあげる日がくるといいけど。

昨日はその、ほんの一片をたべて、大阪のロイヤルホテルへ。川柳作家・橘高薫風《きつたかくんぷう》先生の叙勲お祝いの会で、三十分スピーチを頼まれていたので、「武玉川《むたまがわ》」の話をした。橘高先生は麻生路郎《じろう》先生の衣鉢《いはつ》を継ぎ、柳誌「川柳塔」のただいまは名誉主幹でいられる。主幹は河内天笑氏。

私は「源氏」の話だけでなく、「川柳」の講演もしているので、〈川柳塔〉系作家のお作品もよく引かせて頂くが、中でも薫風先生の、

「遠き人を北斗の杓《しやく》で掬《すく》わんか」

は、必ずご紹介する。現代では川柳と狂句の分際があいまいになっており、川柳の

気品を私はことに訴えたいのであるが、その頂点中の一作は右のお作である。川柳の貌《かお》はじつに幅広く、笑い殺しされそうなおかしい句、せつなさの極致というような句、とりどりある中で、〈気品の頂点〉というのは、一般人の虚を衝かれる部分であろう。〈川柳の気品〉というのもあるのだ。

薫風先生は長身瘦軀《そうく》ながらお元気そうであった。顔見知りの川柳作家にたくさんお目にかかれてなつかしかった。『道頓堀の雨に別れて以来なり』を書いていた数年間、川柳まみれになって悪戦苦闘しながらも、日々楽しかったことを思い出す。

今日は今日とて、関西オペラの打ち合わせ。平成十六年公演の台本を、とのこと。夜は集英社のMさん来《きた》り、打ち合わせ。昨日今日と病院へいけず。

九月二十八日（金）

新聞はアメリカの同時テロのことばかり。

今日はロイヤルホテルで「古典の楽しみ」六回目「江戸の戯作と狂歌」の講演。いってみると皇太子殿下が世界環境会議にご出席、ホテルでお泊りになるらしく、警戒の人々が群れていた。

講演は、私の好きなもののことゆえ、(私は好きでないものは書いたり、話したりしない)蓄積不充分とはいいながら、たのしくしゃべることができた。

いそいで病院へいく。パパはひどく疲れているふうだった。今まで見たことのない苦しみよう、体の持ってゆきばがおまへん、という様子だった。右の頸《くび》にはそれとわかるコブがあるが、それが黒ずんでいた。体の向きをかえたいらしいが、右向きになれない。足をばたばたさせるばかり。それに、何でこう痩《や》せたんだ。

月末近いので、U夫人その他のギャラの手配。おーおー、私もようやるのう。

九月二十九日(土)

帚木《ははきぎ》の里で有名な、南信濃《しなの》の阿智村《あち》へいく。

中央線の中津川《なかつがわ》駅。駅の構内に「是より木曽路」の石標がある。

阿智村(長野県下伊那《しもいな》郡)では今年、「東山道サミット」を催されている。その一環として、「『源氏物語』と帚木」について講演を、といってこられたのであった。

それはもう、ずいぶん前になる。

私はパパの病気がどうであれ、約束したことは必ず果そう、死に目にあえなくてもしかたない、と思いきめている。ミドちゃんにもそれはいってある。ミドちゃんも、

〈お葬式は、どんなにでも延ばせますから〉

といってくれる。大先生《おお》のもしもの時にそばにいてさしあげない、なんてとんでもありませんわ、大先生と仕事と、どっちが大事なんですか、仕事は代りの人がありますけど、臨終をみとる人の、代りはありませんわッなどというようなことはいわないんだ。ミドちゃんも、人生の修羅場（つまり、人の生き死に）にたくさん立ち会ってきたらしいから。

そして私は、といえば、昔の軍歌だなあ、これが。「戦友」そのまんまの気持である。

〽ああ戦いの最中に／隣に居ったわが戦友《とも》の／にわかにはたと倒れしを／われは思わずかけ寄りて／軍律きびしい中なれど／これが見捨てて置かりょうか／しっかりせよと抱き起こし／仮繃帯《かりほうたい》も弾丸《たま》の中……

（作詞　真下飛泉）

しかし「折から起る吶喊《とっかん》に」戦友をおいて立たねばならないのである。昭和ヒトケ

夕生まれの悲しい性質《さが》というべきか。

十月一日(月)

朝九時、病院のU夫人より緊迫した電話。先生が早くご家族の方に会いたいといわれているよし、昨夜発熱して重態でした、と。私は六時にゆきます、といった。午後は対談の約束あり、原稿の締切あり。いそぎ済ませる。

六時、病院内は外来の姿もなく、廊下も消燈《しょうとう》されている。耳鼻咽喉《いんこう》科でF先生のお話を聞く。病状はもう絶望的、腫瘍《しゅよう》はすでにあちこちに転移して、コバルトは中止、肺炎を併発しており、かなり重篤。

つまり、もういつ急変してもおかしくない状態、である、と。

〈パパはもうダメ、という宣告なんだ〉

と思ったが、緊張のあまりか、衝撃が大きすぎたせいか、かえって平静だった。私は、家へつれて帰ることはできませんか、と訊《き》いたが、食事を摂れない状態では点滴しかないが、それもいやがってはずされるので、到底、自宅看護というのは無理でしょう、との先生のご意見だった。

そうなんだ。彼には（パパというより〝彼〟のほうが、もっと近しく感じられる）何より大事な人生信条がある。まず、
①「イヤなことはしない」
というもの。いつもここで、おかしくなっちゃうのだが、人生で誰かがそう決心したら、周りに必ず、そのための工作屋が必要になるのである。本人は信条によって行動していればいいが、それによって引き起される周囲との軋轢《あつれき》を調整する役目がなくては叶《かな》わぬ。そしてそれは常に私である。
②「自分の気持のほか、考えない」
自分に忠実な人は強い。だから周囲は負けてしまう。その代り、正直で率直だから、わかりやすい。義理のへちまの、顔色をみる、周囲の思惑を忖度《そんたく》する、などという、〈生きるに必要な、そして重視すべき徳目〉などは今や、どこかへ振りすててしまった、という感じ。まるで〝洞窟《どうくつ》の原人〟だなあ。

もともと、こうではなかった。

彼は本来、気持の暖かな、あたまもわるくない男だった。（この〝あたま〟は学業

や知能ランクに関係はない。周りの状況把握が適確で、人の気持に敏《さと》い感受性のこと)

それで以《もっ》て、人々にもうんと愛され、自分もたのしんできた。私の見るところ人生を、楽しみつくした、という観がある。

いま、人生の終焉《しゅうえん》期、というのを自覚しているのかいないのか、(神変不可思議な、おっちゃんのあたまの中身なんか、なんで私が推察できよう)ここ五、六年、〃洞窟の原人〃ぽく、なってしまったのである。

自分の〃キモチ〃に忠実に、というのが、人生いちばんの命題になったらしい。

更に先生のお話がおかしかった。先生はしばしば、彼の病床に寄って下さる。重篤な状況のせいであるが、部長先生が病室へ入られるときは、従うナースさんたちも病人にいくばくかの信頼感と安堵《あんど》、緊張を伝えるべく、

〈F先生がいらっしゃいました!〉

と告げる。すると彼は病床から平静な声で、間髪を入れず、

〈それがどうした〉

といったそうである。先生にそのことをうかがうまで、私たちは知らなかった。尤《もつと》

も先生はご不快な感情でそれを報告されたのではない。

〈いや、ホントにそうだと思いましたよ。いろいろ手を尽くしても病気は好転しない、ナニをしているんだろうという、……ご本人としては、ほんとに「それがどうした」といいたいお気持であろうか、と……〉

苦笑される先生に、私はすっかり、あわててしまった。そんなタマじゃないのだ、彼は。

〈いいえ、先生、とんでもございません。あの、どういうんでしょう〉彼はいまや、〝洞窟の原人〟なんです、ともいいにくい。〈――あのヒト、あのう、やりたい放題をするんです。点滴のクダが邪魔だといってははずしてしまうのは、このたびだけではなく……〉

〈そうそう、MRIの撮影のときも大変でございました〉とミドちゃんもいい添える。私があとを引き取って説明する。彼はどうしても黒い筒の中へ入らされるのはいやだといい、両腕を振《ふる》って抵抗する。もう、三、四年も前の話だが、私の力では彼の両腕を抑えきれない。看護師さんが二人、走ってきて抑えたが、まだ必死に動いている。看護師さんは妙な顔をして、

〈このかた、不随意筋《ふずいきん》の病気か何かですか？〉

といった。それはそうだろう。大《だい》の大人がいやがって暴れる、なんて考えられないもの。

いや、それどころではない。現に、ここの病院で二年ほど前、左目の白内障を手術して頂いたことがある。手術室から病室へ戻された直後、ミドちゃんは病室へ入ったが、彼はベッドのそばに立っており、眼帯はしていなかった。ミドちゃんは、〈近頃の医学の進歩はたいしたものだわ、手術直後でももう眼帯不用なのかしら〉と素朴に感心し、

〈大先生《おおせんせい》、無事に手術が終られて、ようございましたこと〉

とにこにこしていった。私が病室へ入ったのはその時である。私は一瞬にしてその場の状況を把握した。さっき手術室から出てきたばかりの時は、たしかに左に眼帯をつけられていた。それが、ない。

〈どうして取るのっ！〉

と私は叫んだ。彼にモノをいうとき、私の語尾には〈っ〉や〈！〉がつきやすい。

〈めんどくさい……〉

と彼は、もごもごいう。それは、〈うっとうしい〉と同義語である。

〈めんどくさいって……付けとかないと、ダメ！〉それまではまだ本気に怒ってはいなかった。しかしふと、病室の床を見ると、白い眼帯が彼のスリッパの下にみえるではないか。古風にいえば私は〈怒り心頭《しんとう》に発した〉のである。

〈なんで踏みつけるの!?〉

私の金切り声に、ミドちゃんも事態を察し、〈まあ、ご自分で取って、踏んづけられるなんて〉と詰《なじ》る口調になった。

やっとベッドに身を横たえた彼は、

〈踏みつけたわけやない……〉

とぼそぼそいう。私も、それはすぐ、わかった。うっとうしい、と取るのは彼らしいが、それを意識して踏みつけたりはしないだろう。偶然、彼のスリッパが、もぎ取られて落ちた眼帯の上に乗った、という所だろう。

このあと、何べんも眼帯はひきむしられ、私たちはそのたび苦労した思い出がある。

そんな蛮行をF先生に報告する。

〈もう、やりたい放題、いいたい放題のヒトですので、先生に失礼申しあげるという、

認識もなくて……申しわけございません〉

私としては、昔の眼帯のときは本気に怒っていたけれど、このたびの先生への暴言は、（たしかに非礼で、けしからんことではあるけれど）一面、〈物書き〉としておかしがっているふしがあった。世の女房《よめはん》並みの感覚で、たしなめたいが、〈物書き〉感覚でいえば、あの男らしくておかしかった。そして、彼の〈それがどうした〉という言葉には、なんの悪意もないことを私がいちばん知っていた。まして個人的な反撥《はんぱつ》など更にない。ただ、かすかに権威への不快感があったかもしれない。世の中の仕組みに対して、〈それがどうした〉といったのだろう。私もまた、〈それがどうした〉をいいつづけている生涯だ。――〈物書き〉なら、みな、そうあるだろうこと。

そういえば、彼の発病の大元からして、そうだ。脳血管障害で、脚が不自由になったとき、リハビリを命じられたのに、彼はしない。まさしく、馬を水辺に連れていっても、水を飲むのは馬であるから、私としては、どうしようもない。というより、私には彼のリハビリに付き添い督励したりほめたりするヒマがなかった。変り者の悪妻の私、彼は彼で、〈リハビリはしない〉という処生方針をうちあげ、これも悪妻を上《うわ》廻《まわ》る変り者であったが、更にそれをまた上廻ってどうしようもなく悪いのは、〈物書

き〉という変り者のひねくれかたであった。〈物書き〉たる私は、リハビリしない彼を、
〈しゃーないやん〉
と面白がった。そして幾年。両方で内心、〈しゃーないやん〉で流れついた極北が
このざまだ。
リハビリしないだけ、彼の世話は大変だったが、人を傭《やと》いまくって乗り切ったっけ。
（すでに私は、今までの〝しゃーないやん〟人生を過去形で考えている）
病室へ、暗い廊下を戻る道々、私はそんなことを考えていたが、ミドちゃんは別の
ことを考えていたらしく、
〈――でも、もしも、ということもありますわ。元気を出しましょうね〉
といったが、声が震えて湿っていた。そうね、と私はとりあえず返事したが、ここ
三年間ほどの彼の介護の大変さを思うばかりだった。それでも病室へ入るとき、私が、
〈美人二人、揃ってまいりました〉
というと、ベッドの彼は、にやりとして、
〈どこにそんなん、居《お》るねん〉

フッーの声。この男が機嫌いいのは、冗談や、ちゃらっぽこを叩《たた》くときだけ。『奥の細道』の芭蕉《ばしよう》を迎えた大垣《おおがき》の戸田如水《とだにょすい》の『如水日記』には、芭蕉のことを、

「心底《しんてい》、はかりがたけれども、浮世を安くみなし、諂《へつら》はず奢《おご》らざる有様なり」

とある。私はこの文章が好きだ。いつか、彼にそういったら、彼は真顔で、

〈そんな奴、おもろうないやろ〉

といい捨てた。お上手いったり、自慢したりするから人間は面白いのに、へつらわず、威張りもしない、なんてそんな奴は、

〈スカ屁《べ》みたいな奴じゃ〉

という。芭蕉を〈スカ屁〉というのは、おっちゃんだけだ。

しかし「心底、はかりがたけれども、浮世を安くみなし」というのは彼にもぴったりだ。

〈パパ、あしたお酒持ってくるからね〉

と私は冗談をいい、ミドちゃんもあかるく、

〈あたくしは、真心を持ってきます〉

といった。

〈真心より、カラダのほうがええ〉と彼。

〈まあ。大先生は、男の礼儀を尽くされましたわ。すてきでございますわ〉

ミドちゃんの返事に、U夫人もそろって笑い、彼もにやっとする。

十月四日（木）

一昨夜、病院から帰って、先生が〈いつ、急変してもおかしくない状態〉といわれたことを、まず義弟のカズオさんに電話した。カズオさんは冷静な受けこたえ。商売柄、というべきか。

〈コバルトが強すぎたんやな〉

と静かにいうが、寡黙《かもく》なこの人は、その代り、声に深味がある。私はいった。

〈あたしも、こんなになるのなら、コバルトをかけなければよかったかナーと思ったけど、その時はよかれ、と思ってしたんやものねえ……〉

〈そうそう〉

千鈞《せんきん》の重みのある〝そうそう〟だった。慰めでもあり、共感でもあり、内通者同士が気脈を通じ、暗黙裡《り》に諒解《りょうかい》し合う感じ、といえばよかろうか。元気なときのおっちゃんが、もし彼の立場だったらイロイロ老巧な言い廻しでとりなしたであろうが、カズオさんはまことに訥弁《とつべん》の人なので、〈そうそう〉に万斛《ばんこく》の思いをこめた、というところだった。

私はそれに慰められて少し、元気が出た。次いで長女に電話した。私はこの娘とその夫をいちばん頼りにしているといっていい。娘はまだ至らぬ点はあるけれど中年に達して、適応性のある社会人になってくれたので、(旦那のおかげもあるだろうけど)物書きの常として世間にうとい、トッポイ私の相談相手である。彼の病状を伝え、皆に連絡を頼む。長女はすこし涙声だったけど、しっかり、いった。

〈セイコおばちゃんが、よくしてくれたこと、お父さんは、ようく知ってると思うわよ。お父さん、口下手やから、上手にいわれへんけど、心の中でお礼いうてる、と思うわ〉

私が彼と結婚したとき、この子は小学三年、上に二人、下に一人いた。私は子供たちに私のことを〈セイコおばちゃん〉と呼ばせた。子供たちの〈お母ちゃん〉は亡くなった人、一人きりだから。……いま、息子たちは雲つくような大男になっても、半分ぐらいの身長の私を、いまだに〈セイコおばちゃん〉と呼ぶ。娘たちもそう。みんな、幼年時代の思い出はいろいろあるだろうけど、〈彼〉の〈教育二大方針〉が、私には面白かった。

一、メソメソするな。

二、喧嘩《けんか》するな。

——これだけ。勉強せい、というのはないわけである。私がその不備を衝《つ》くと、彼は、

〈そんなこと強制しても、する奴はするし、せえへん奴は、せえへんのじゃ〉

と自若としていった。全く、〃ヘンなおっさん〃であった。

しかし右の二大方針は、彼らしくて私の意に適《かな》った。わが家では進路自由で強制しなかったため、大学出、高校出、高校中退、とみな多彩な学歴である。

しばらくして、長女が知らせたのか、たちまち九州にいる次男から電話がきた。

〈セイコおばちゃん？　お父さん、きっと快《よ》うなるよ。きっと〉

図体《ずうたい》はでかいが、この子は昔から気の優しい子だった。

〈この前行ったとき、セイコおばちゃんがお父さんとお婆ちゃん両方の世話してるのん見て、ぼく、物凄《ものすご》う感動したんや。お父さん、おばちゃんに感謝してると思うよ……〉

ふしぎや、長女の電話のときにはしっかりしていた私、〈チュウ〉の声を聞いたとたん、涙が出てきて、返事の声が裏返ってしまった。この子は幼時、自分のススムという名が発音できず舌足らずにいったのが〈チュチュム〉。以来、家では〈チュウ〉というあだなになったのだった。いまでも家族は〈チュウ〉なんて呼ぶ。

可愛気のある男の子だったが、この〈チュウ〉はまた、ちょうど時代の動乱期にひっかかったもので、兄と一緒に学生運動のまねごとをして困らせたことがある。父親たる〈彼〉は、学校の先生に呼びつけられて一応、午後の休診時間に車で出かけたものの、何だかすぐ帰ってきた。

〈おや、今日の教師《せんせい》のお小言は早かったんですね〉

といったら、

〈いや、行かなんだ。車、転がして、ふっと、そや、今日は巨人阪神のデイゲームや

思たら、あほらしィて学校なんか、行けるかい〉
これは〈お兄ちゃん〉の学校であった。〈チュウ〉のほうの学校からもせきこんだ先生のお電話。——お父さん、すぐ来て下さい。おたくの息子さんが校舎中の窓に〝ベトナム戦争反対〟のビラを貼ってます。〈彼〉の返事はただ一言、
〈貼らせて下さい〉
であった。
その晩、私は〈チュウ〉が帰ってきたらこっぴどく叱ってやろうと、仕事をしながら待ち構えていると、深夜近く飄然《ひょうぜん》と帰ってくる。空腹だというのでラーメンを作って食べさせたりしているうち、〈チュウ〉の話が面白いので思わず笑ってしまい、お小言はいつもの如く棚上げになって失敗してしまう。〈チュウ〉がせっせとビラに糊《のり》をつけて貼っているのを、級友たちは手出しせず、じっと見守り、先生のように騒いだりしなかったよし。
ただ、〈学級委員のやつ〉が、遠慮がちに、
〈あのなあ、カワノ。貼ってもええけど、あんまりベターっと貼らんといてくれやあ。まん中一点だけに頼むわ。あとではがすときナンギやよってな〉

と注文をつけたそうである。私と〈チュウ〉は笑いあい、私が〈コーヒーつくって〉というと、彼は、うん、と自分のと二つ、インスタントコーヒーを淹《い》れてテレビをつけ、こうやっていつもお小言は流れてしまうのであった。……

幾時代かがありまして
　茶色い戦争ありました

幾時代かがありまして
　冬は疾風吹きました……

中原中也の詩（『サーカス』）みたいに、時は過ぎ、思い出はさんざん積って流れていった。川に降り積む雪のように。そして、〈彼〉が放任主義なので、いつも私ばかりが〈チュウ！〉とどなって怒っていた子に、いま慰められている。過去・現在・未来をつきまぜたような涙が、思わず出て、私の返事の声は平常ではなかった。
〈泣いたらあかん！〉と〈チュウ〉はいう。

〈きっと、ようなるって〉

それが今日（四日）病院へいってみると、〈彼〉はわりあい元気で、視線が合えば微笑する表情になった。胸のところを擦《さす》ってほしいというので擦りながら、私は〈ウチの家族連《みんな》〉の話をする。

もちろん、スヌーや、デコ、アマ、チビたちの話。私がお札をかぞえていると、生意気チビのいうこと。〈あーたん、ぼく、お札、つくったろか。パソコンでできると思うねん〉

そら恐ろしい子だ。

この子はまた、お手製の望遠鏡もつくった。

一同は病院の〈おったん〉に会いたがっているのに連れていってもらえないので、チビ兄ちゃんの望遠鏡で覗《のぞ》こうと楽しみにしているのだ。チビは望遠鏡を調整し、〈見えたっ。おったんがベッドでテレビ見てるっ〉と叫んだ。そして、

〈一回、五円で見せたる。五円やぞっ〉

みんないそいで、〈おこづかい入れ〉の袋から五円をつまみ出し、順番に並んでおっちゃんを見た。十円を出してお釣りおくれ、という子、貯めた一円玉を五枚出す子。

中で横着なデコは、

〈付けといて〉

といい捨てたというので、チビはかんかんだ。が、かんじんの望遠鏡はそそっかしいアマが床にとり落したとたん壊れ、そのため、望遠鏡の中におったんの写真が貼りつけてあったことがばれてしまった。みんなは口々に抗議し、チビはお金をあつめて逃げ出し、わが家は蜂の巣つついた大さわぎ、……

〈パパ、チビを怒って下さい、これって、詐欺よねえ〉と私が訴えると、彼も調子を合せ、〈こら、チビ!〉

笑ってしまった、私。

彼もわずかに笑う。

おッかしい。……いつも調子を合せてくれる。

これって、いつまでも〝わらべごころ〟を失わないことじゃない? おもろい男《やつ》。

私は髯《ひげ》のまばらに生えた彼の右頰に軽くキスして、〈元気になったご褒美だよーん〉というと、彼は〈あほ〉という。小さい声だが明瞭《めいりよう》に聞き取れる。眼つきにも表情が戻っていた。私は、

〈もっと気の利いた反応ないの？　〝アゲイン〟とか、さ〉〈そんな奴、居《お》ったんか〉
〈するどい！〉といってあげて、
〈あほちゃう？〉
両方で〝あほ〟が出て笑い分け。彼の、久しぶりの笑顔に私は元気が出て、衣類の夏物を病室の戸棚から出して袋に詰める作業をした。帰る、というと、彼は小さく、〈ワシも帰る〉という。この調子で小康を得られれば、一時間だけでも、帰らせてやりたい。

十月六日（土）

病院へいくと、F先生が病室にいられ、うまいぐあいに肺炎は癒《なお》っていそうです、といわれた。まだ誤飲や痰《たん》つまりの心配があるので、家庭での療養はむつかしいだろうとのこと。
彼は表情が出て、笑いさえした。一緒に帰る、とささやく。今日はU夫人はお休み、Hさんが来ていて、上手に彼におかゆを食べさせていた。〈何かしゃべれ〉と私にいう。二人でよくしゃべった人生だった。東京の山の上ホテルにも二人でよく泊ったが、旧館のロビーの奥で深夜まで話しこみ、しまいにホテルの人に遠慮がちに、〈お休みになるときは、このスイッチを押して下さい、ロビーの灯が消えますから〉などといわれてしまった。〈何をそんなに話すことがありましたの、ご夫婦で〉とミドちゃんに呆《あき》れられるが、私たちは中年でめぐりあったので、それまでの人生につき、お互い、交換する感懐と情報がうんとあったのだった。

三十六年、しゃべりづめの人生。いつまで続けられるかしら。

十月八日（月）

米英のアフガン空爆がはじまった。テレビ・新聞は騒然。

十月九日（火）

四時すぎに病院へいくと、ベッドはなかった。U夫人が、〈肺の輪切りの写真をとりにいらっしゃいました〉と。やがて戻ってきた。O先生がこられ、〈肺はきれいになっていましたが、木曜にF先生のお話が〉いい話ではなさそう。

　昨日の彼は口を利く元気もなさそうだったが、今日は表情も戻り、鼾《いびき》をかいて眠りさえした。やがてぽっかり目をあけ、私を見た。

　私はいった。

〈パパ、議論しようよ、なンか、テーマない？〉

　これは私と彼の、いつもの冗談だった。彼はまえによく、〈議論するならヨソでやってくれ、議論してまで、〝夫婦〟してることはない〉なんていうので、議論ははなから腰くだけになり、冗談と笑いのうちに埋没してしまうのだった。

〈ブッシュさんはタリバンを制圧できるか否か。テロを押えこめますかねえ〉

　と私がいうと、テレビでニュースは知っていたらしく、彼は何かいった。身をかがめて聞くと、

〈まかす〉

　何をまかすねん、と私は笑ってしまい、彼もにやりとした。まかす、といって目をつむっていられるというのはいいなあ、楽で。私は今日、たまった仕事で大いそがし

だった。新聞のエッセー二本分を書いて渡し、午後は一宮町の教育委員の人たちと打ち合わせ。毎年秋に一宮町で講演をする約束なので。

今年は「百人一首」である。こっちはこっちで戦争まっただ中、約束の原稿の締切は毎日ある。各個撃破(古いコトバ)で片付けなければならない。主人の病い篤く、ただ今は書けません、なんて釈明して筆を投じている自分なんて、想像もつかない。(いっぺん、それをやれば、人生は水に溶ける塩のようになし崩しに押し流されてしまうだろう、という予感がある)生活のため、というより、自律性獲得のため、というか。私が一番望むのは、彼のそばにいてすべて看取《みと》ってやることであるが、もう私の体力ではそれも叶《かな》わぬことになった。彼の手を握って、ベッドの彼の耳に面白いことをいってやるだけ。

〈きのう、何ンかむしゃくしゃして、スヌーの大きなどてっぱらを、拳固《げんこ》でなぐってしまったわ。スヌー、なンていったと思う?

〝あっ、これって、話に聞く、DVといふものでは、ないでせうか、理不尽と思ひますう……〟やて。生意気ざかりよ、あの子も〉

彼が少し笑ったので、私は勢いづき、

〈でも、このまえの、パパのほうがおかしかったよね〉
二、三か月くらい前かしら、いつものように居間でテレビを見ていた彼が、トイレへいく、という。車椅子で居間から廊下へは簡単だが、トイレでは二、三人の人手が要る。というのも六十キロの彼を支えるのに、柔々《やわやわ》しくやっていては支えきれず、ある程度、どすん、という感じで、お尻《しり》をおろさせねばならない。とたんに彼は、〈痛い！　乱暴にすな！　もっと優しィにせえ！　痛いやないか〉と怒る。
〈優しくしてるじゃありませんか。どこが痛いんですか!?〉

とミドちゃんも負けじと応酬する。

〈心が痛むんじゃっ！〉

みなみな、毒気を抜かれてふき出してしまう。

その話をすると、彼もおぼえていたのか笑う。

そう。こうやって、私はいつも彼を笑わせてやって、起床させ、洗顔させ、髯を剃《そ》ってやっていた。彼の足が不自由になってから何年も。夜の安眠が失われ、私が体を損ねたので、ついに彼専属の付き添いさんを頼んだ。私は二階の寝室へ籠《こも》って二年半ぶりに熟睡した。

そして半年たって、入院騒ぎになったのだから、いま思えば、ぎりぎりまで世話をしてやれてよかった。できれば最終まで、と思うけれども、それは欲というものだろう。

彼が私の話に笑ってくれる、まだしもの余命が残されているだけでも感謝しなければ。

〈それにしても〉と私はいった。〈パパはよくテレビ見てたわね。昔はほら、仕事を廃《や》めたあと、うんと読書してたやない?〉

中央公論の『日本の歴史』二十六巻を読破したり、(終りのページまで、彼独特の、ちまちました字、体に似合わぬ小さい字の書きこみがいっぱいあった)吉川さんの『宮本武蔵《むさし》』の英訳『MUSASHI』を読破していた。ほとんどのページにうすい鉛筆の書きこみがあった。

〈うん〉

と彼はいう。

〈だから、あんまりパパがテレビばっかり見てるから、ちょっと建設的なこと、したら? ってあたしがいったら、建設的なことって何ンや? と訊《き》かれて、あたしも詰

ったわ〉

今度は二人で笑ってしまった。よかった。

ちゃんと話ができたじゃないか。

私は内心、こおどりしたいくらいだった。まだ、彼は大丈夫。このまえ、私のいないとき、東京から編集者のイトウさんがお見舞いに来てくれて、〈大先生《おお》、あたしもとうとう、定年です。長いことお世話になりまして。……あたしが定年、なんて、信じられない思いですけど、とうとう……〉

といったら、彼は言下に、

〈まだヒヨコじゃっ！〉

といい、次いで、

〈これからが働きざかり、じゃっ！〉

といったそうで、イトウさんは驚喜し、私に、〈お元気じゃございませんか〉と嬉《うれ》しそうに電話してきた。〈いつもの大先生でいらしたですよ〉

大いに鼓舞《こぶ》された、と喜んでいた。

時として、人生に奇蹟《きせき》のように舞い下りてくる時間があるとみえる。私も二人で笑う機会を得て嬉しかった。でも帰宅して食事をやっと摂り、寝室にいると、孤軍奮闘、援軍来《きた》らず、という感じで、深い疲労を感じた。こういうとき、身も世もなく泣ければいいなあ、と思うけど、たとえ泣けたとしても、もうすぐ迫った九州取材、四国取材の日程のやりくりの方が喫緊事《きっきんじ》である。それに、母に夜間、付き添ってくれている人が、〈私は病院勤務が適《あ》っているので、家庭はどうも〉というから、別の人を派出家政婦会に頼まなければならない。これはミドちゃんに任せよう、……なんて考えてるうち、ブランディの水割り一ぱいがよく効いて眠りにおちた。

十月十一日(木)

午後四時に病院でF先生のお話を聞く。肺はよくなったが、腫瘍《しゅよう》はどんどん大きくなり、かつ転移しており、あと十回は〈コバルトを〉かけたいが、体力が衰えているので無理、抗癌剤を眠っている間に射《う》つ、ということも、できないではないが、〈何しろ痛いことをすると、怒る人でね〉
と先生は苦笑される。結局、いまは動きがとれないが、もう少し体力がつけば、とのこと。

十月十四日（日）

昨日、福岡へ、これは講演。千三百人の聴衆、入りきれない人も出て、別室でモニターで見たとのことであった。「『源氏物語』の魅力」というのであるが、ちょうど『姥《うば》ざかり花の旅笠《たびがさ》』の地もとでもあり、そのことに言及する。博多はほんとうに元気のいい町で、聴衆の活気と熱が伝わってくる。気持よく語れて、皆によかったといってもらえる。

あと「まめ丹《たん》」へ。まあ、何十年ぶり。ナマの鯖《さば》も、焼酎《しょうちゅう》もおいしかったこと。

今朝は急に志賀島《しかのしま》へいきたくなり、金印の地を見てきた。快晴で海は青く、美しかった。

タクシーの運転手さんが面白い人で、博多の鴻臚館《こうろかん》跡発掘の話なんか聞いているうち、彼の愛読書の一冊が梅原猛先生の『神々の流竄《るざん》』であるという話になった。博多はほんとに文化的な町だ。

新幹線で帰ったら三時半、私はすぐ病院へ向った。びっくりしたのは彼があたまをくりくり坊主に剃られていたこと。冷や汗が出るという。U夫人は、これは痰《たん》のつまる前兆です、とナースさんを呼びにいった。私に見せたくないとU夫人のいうのは、鼻孔へ管をつっこんで咳《せき》をさせ、痰を出すという乱暴な方法だから。私とU夫人が両方から彼の腕を抑えた。いやがって暴れる、という。

(私もこんな事態になったら、暴れるだろうか? そのときになってみなければ分らないけれども、理性で納得すれば、苦しくてもうけ入れる気がする。彼は何しろ、イヤなことはしない、という率直な男だから、率直に暴れるわけである。ほんとうに天才だ)

しかし痰が取れると、彼は落ちつき、U夫人に椅子へ坐《すわ》らせてもらっている。コーヒーを飲み、プリンをゆっくり食べて、一つ空けた。私までほっとする。博多の町の活気、ずいぶん昔、彼と「まめ丹」へいったこと、(もちろん、彼はおぼえていない)博識で、しかも謙虚、押しつけがましくなく、親切だった(これらの要素はなかなか、並立しにくい人間の美徳である)スグレモノの運転手さんのことなど、彼に話した。一時間半ぐらい、体をさすったり、ゆるやかにマッサージしたり、半分はふざけて、

〈手かざし〉をした。
〈あたしのオーラをあげます〉
と、黒ずんだ首の部分に、触れないで、ごく近くまで寄せた。
彼はおちついて、眼に光りが戻ってきた。
〈もう帰るのんか〉
というのを聞いて帰った。

十月十七日（水）
雑誌・書籍の整理で大変。それで病院へはおそくにいく。彼は少し疲れ気味。U夫人の話では、今日の痰取りはとても苦しかったらしくて、〈おっちゃんは死ぬんか〉とU夫人に訊《き》いたそうである。私はもう絶対、真実を告げるまい、と決心した。大丈夫よ、パパ、死なないよ、と力強くいう。いま、ちょっとだけ、苦しいけど。じき、よくなるよ。
介護なんか、その場その場の出来ごころでいいんだ。昔、彼は、信条として死にかけの人は見舞わない、といっていた。何をいっていいか進退に窮するから、だって。それは自分の器量を知ってるからだろう。でも私はそんな大ものじゃないので、できるっかぎり、ちゃらっぽこを叩《たた》いて、ウソをつき通すつもりだ。

十月十九日(金)

書くべき原稿をいそぎ仕上げ、私一人で病院へゆく。彼の容態は期待したほど、よくない。

というのは、昨日、集英社のムラタちゃんが打ち合わせに来、ついでにミドちゃんを交え、三人で彼を見舞うと、彼は元気で、〝お気に入りの女ともだち〟の一人であるムラタちゃんの顔を見て嬉しかったらしく、おしゃべりを楽しみ、彼女をからかって笑わせていた。私までホッとした。久しぶりの昔ながらの彼だった。でも会話の内容が思い出せない。というのも、昨日は来月の十一月六日のNHK出演につき、午後、係りの人が来て、長時間打ち合わせをした。昔の写真類や全著書も撮影《うつ》すというので、その手配やら相談やら、綿密な詰め(粘られたナーという印象)、ついに私はばててしまった。（こういうとき、昔は疲労困憊《ひろうこんぱい》、などという文章語を愛用したものだが、今は俗語の、へばる、や、ばてる、のほうが好きになった）そのあとムラタちゃんを伴って病院へいったというわけ。このごろ私は、疲労がつねに蓄積して、それが肩凝りのように、または物怪《もののけ》のように体にしみついてとれない。それでもムラタちゃんに会って元気になった彼を見るのは嬉しく、〈じゃまた、明日〉というと、〈うん〉と彼も機嫌よかった。いつもは〈もう帰るんか〉とか、〈ワシも帰る〉なんていって、私をせつなくさせるのに。

そのあと、三人で〈すし善〉さんへいくと、ムラタちゃんは、〈大先生、お元気じゃありませんか〉と、イトウさんと同《おん》なじことをいって喜んでいた。自宅へまた戻り三人で少し飲む。屈託ない明るいムラタちゃんの声を聞いていると、私も何がなし、気分が明るんで、みんな、うまくいくような錯覚におちいり、楽しくなって、憂悶《ゆうもん》の雲が晴れるような気がした。しかしそれは多分に、アルコールのせいにちがいない（「少し飲む」といっても、あとで見るとウイスキー一本、空いていた）

そして今日。きのうみたいに元気だといいな、と思いながらお昼にいってみると、期待に反して、彼はぐったりしして口を開くエネルギーも消耗しつくした感じ。痰をとって貰《もら》うとき、苦しがって暴れたよし。笑わない人に、またなっている。苦しまずに痰を取ることは、できないものかしら。胸が痛んで何もしたくなく、もはや何も書けない気がする。辛《つら》いが、昼食が配られたのをしおに、U夫人に任せて帰った。

夕方五時、私とミド嬢は阪急タクシーで京都へゆく。京都観世《かんぜ》会館で狂言の会(「千作の芸を見る会」)があるのだ。催しは「恋色狂花」と、銘打ってある。「九十九《つく》も《》がみ」は、珍しい〝素《す》狂言〟である。高橋睦郎《むつお》氏の書きおろし、これを語りだけで楽しもうというもの。あとは「文荷《ふみにない》」「業平餅《なりひらもち》」。二か月ほど前、狂言関係の知人に、千作さんの世界をたっぷり楽しんで下さいと、お招き頂いたのだが、私も千作さんの舞台にはいつも感動するので、楽しみにしていた。まさか彼の病状が短期間にこれほど悪化するとは、思いも染めずに。……

といって、病状に一喜一憂していてもしようがないし、あるいはこの先、事態がどう転んで、長丁場になるかも知れず、いま、私も諸共《もろとも》に、〈落ちこんでてもしようがないしねえ。……行ける時には、じゃんじゃん行こうよ〉とミドちゃんを使嗾《しそう》すると、彼女も賛成した、という次第。

ところが、この日呼んだ阪急タクシー、イ、ラ、チ、で物凄《ものすご》い運転の上に、夜寒《よさむ》の道路を奔《はし》るというのに窓を開け、クーラーを入れ、およそ非常識で、文句をいっても何やかや抗弁して聞いてくれない。やっと目的地へついてホッとした。タクシー会社の名誉のためにいっておくが、こんな奴《の》は物凄い例外、いつもの馴染《なじ》みの運転手さんたちは、みな、技倆《ぎりよう》のたしかな、好感のもてる温厚な紳士たちで、私とミドちゃんは、彼らに親しんで、乗るとすぐ、とりとめない話や冗談を言い合うのを楽しみにしている。

狂言は面白くて千作さんの滋味をたっぷり味わえた。ことに〈素狂言〉は、初体験ながら、聴き手の想像力と、両々相俟《あいま》って構築される舞台となり、これも興深い企画だった。

あと、タクシーでリーガロイヤルホテルへいき、大阪から京都へ転勤された三輪谷《みわや》支配人と再会、終了間際の和食堂「たん熊」にちょっと頼んでもらい、あやうく夕食にありついた。大阪のホテルでは私、『源氏物語』の講義を三年続け、そのあとも何やかやして、五年、講座を持ったが、三輪谷さんの名司会で助けられた。お元気そうなご様子も嬉しかったが、「たん熊」さんが快く、遅くまでおいしい料理を提供して下さったのも楽しかった。

十月二十二日（月）雨

今日からまたコバルト、でも彼は元気だ。私が持っていった松茸《まつたけ》御飯やプリンを食べた。今日の付き添いさんはYさん、料理用鋏《ばさみ》で、やにわに松茸御飯をバサバサと切って細かく潰《つぶ》す。ががさした印象の人で、きっちりとして物静かなU夫人とえらく違うが、それなりに、病人の扱いに馴れて親身な様子もみえ、彼も不快そうではなかった。彼は案外、人に好き嫌いが多く、しかしそれを言挙《ことあ》げしない。好きな人は、これはいわなくてもわかる。団栗眼《どんぐりまなこ》が嬉《うれ》しげにみひらかれ、唇《くち》もとがだらしなくゆるみ、喜色満面という風情。

嫌いな人に対するときも、忍耐強いほほえみを浮かべているので、慣れない人にはわからない。嫌い、と揚言《ようげん》することは決してない。人のワルクチに類することは口にしない。〈なんでワルクチ、いわないの？　あたしなんか同じ穴の貉《むじな》、という感じで共通の嫌いな人のワルクチ言い合うの、好きやわ〉と私はいったことがある。彼は重々しくいう。

〈理由《わけ》は三つ、あります〉

〈ヘー。何やのん?〉

〈一つ。いうたら気の毒である〉

私は笑ってしまう。

〈二つめ。ワルクチをいうと、自分も同じレベルになる〉

しゃらくさい。

〈三つめ。自分は彼を、よう知ってるつもりでワルクチをいいたいが、しかし自分の知らぬ美点も、あるかも知れん。そう思うといえません〉

〈ヘーン、だ〉

と鼻で嗤《わら》ったものの、私は、〈ヘンなオッサンだ〉と思わずにいられない。彼が、どうしても好悪《こうお》を言明せねばならぬ立場になった時は、〈嫌いだ〉という代りに、〈変った奴っちゃな〉というのであった。変ってるのは彼だろう。

そのオッサンは、こまかく破砕された松茸御飯をおいしそうに食べている。

――先生が、もう少しコバルトをかけてみたら……といわれたとき、私には、〈もういい〉という勇気が出なかった。そんな勇気があるとすれば、それは蛮勇、というものだ、と思った。藁《わら》にもすがりたい身内の思いとしては、万一の僥倖《ぎょうこう》に賭《か》けずにいられない。

夜おそく、誰もいないリビングで、私はスヌーにいってみる。スヌー、もうあーたんは死にたいよ。スヌーは垂れ目をきっとみひらき、〈あーたん、そんなこと、おっしゃらないで下さいまし、あーたんに何かあったら、ぼくたち、どうなるのでせう。無責任なご発言、と思ひますう……〉私はふき出したが、いっしょに涙もこぼれた。私にとっていつも、（実は）非現実なこの子たちが、一ばんの現実だ。

十月三十日（火）

二十七日から二十九日まで九州取材の旅、それまでに仕事を仕上げておかなくてはならなかった。出発まで三晩つづけて睡眠時間は四時間。おまけにその前日は月一回あるホテルでの講義。今月は「林芙美子の世界」だった。私はいつもメモなしで話すのだが、このときは林芙美子の文章が好きなので、『風琴と魚の町』の一ページを読んで、〈読み聞かせ〉をやった。〈芙美子、読んでみます、今まで読まず嫌いでしたけど、〉という聴講者のひともいて、私としては楽しい時間だった。あと、病院へ行き、夜は旅行の準備、(私がパパより先にばてるんじゃないか)と、ほんとに思った。取材を終えて帰宅、すぐ病院へいったら、わりに元気でいて、これは嬉しかった。

それともう一つ、嬉しいことがあった。

大体、この十月はアメリカのアフガン攻撃に始まり、扶桑《ふそう》社の歴史教科書問題があり、で、世間は有識者たちの喧喧囂囂《けんけんごうごう》の議論、古風にいえば鼎《かなえ》の沸くが如し、というありさま、そこへもってきて、(これは去年の毎日新聞の大スクープだが)旧石器発掘捏造《ねつぞう》の全容が明らかになった。(新聞では、ねつ造、などと仮名・漢字を混淆《こんこう》して表記しているが、ねつ造ではさっぱり意味が通じない)東北旧石器文化研究所の元副理事長なる人物が、自分で遺跡に埋めた石器を発掘してみせ、考古学界を引っ掻《か》き廻《まわ》していたというのだ。教科書も書き直し、削除が行われるという前代未聞の怪事件。私は遺跡や旧石器に関心があるので、学界がその作為を看破できなかったことのショックの方が大きかった。

そういう騒擾《そうじょう》の中で、私個人の嬉しい大事件、というのは、集英社さんから私の全集を刊行したいというお話があったこと。数年後に創業八十周年を迎える記念事業の一つとして、といわれる。今までの仕事が評価されたことで、これは作家としては最高の栄誉で褒賞である。これまで、長篇小説全集（文藝春秋さんの刊行、十八巻だったと思う）や、珠玉短篇集（角川書店さん刊。六巻）を出して頂いており、すでに充分、功は報われているが、何せ、その頃からかなり時間も経っており、自分でも好もしい作品も出来たと思えるので。――

私はその嬉しい知らせをもたらして下さった秋山さんや狩野さんにお礼をいい、〈禍福は糾《あざな》える縄の如し〉という古い言葉を思い出した。ムラタちゃんが編集に携ってくれるというのもたのもしかった。

私は早速、病院へミド嬢と車を飛ばして、報告にいった。いいあんばいに、彼は眠ってもいず、意識もしっかりしていて、意志的な表情で私の報告を聞き、表情を和ませて、

〈当然じゃっ〉

小さいが明瞭《めいりよう》な声。追いかけて、

〈遅すぎるくらいやっ〉

私、ミドちゃんと笑ってしまう。健康なときと同じように、反応の早い彼が嬉しい。

〈すし善〉さんでミドちゃんと二人で乾盃《かんぱい》、いい日になった。人生でもう、いい日な

んてめぐってこないと思ってたのにな。それにしても、彼の意識のたしかなうちに朗報がもたらされて、二人で喜ぶことができたというのは、なんて幸せだろう。〈おせい、オマエは神サンに可愛がられとるぞ。わかっとんのか〉旧《ふる》い男友達の一人が、むかしこんなことを笑いながらいったっけ。

十一月一日（木）

六日のNHK出演のため、求められて著書ノートを作る。二百五十冊以内か。

それにしても貰ったスケジュール表のすごいこと。分秒きざみのプログラムだ。この通りに動き、しゃべることができるのだろうか。まるでロボットじゃないか。向うは、〈司会のアナウンサーが、万事、仕切りますから、リラックスなさって下さい〉というが。こんど新しく出来た大阪放送会館である。

夕方、病院へいく。ずいぶんやつれた感じ。〈ぼくは何の病気や〉と真顔でまた、いう。

かしこそうな顔なのになあ、と私は思い、〈肺炎をおこしかけてたけど、もう大丈

夫、〝ぼちぼちいきまひょか〟というところよ。——じきによくなりますよ〉といった。

私は色紙を求められると、よく〈気張らんと　まあぼちぼちに　いきまひょか〉なんて書く。兵庫県の宍粟《しそう》郡、一宮町の渓谷の奥に、町立の休養センターがあり（宿泊でき大浴場もあり、ゲートボールなども楽しめる）、そこの食堂の奥に、〈田辺聖子文学コーナー〉がある。（文学館でも文学室でもない所がよい）ここに私の色紙を並べて下さっている。（これは印刷で、販売用である）

「まいにち　ばらいろ」

もう一枚はやや文学的口吻《こうふん》で以《もつ》て、

「われはゆくなり　只《ただ》一騎
　おどけ笑いの　竹槍《たけやり》に
　大阪弁の　むしろ旗、
　ドン・キホーテにも似たるかな」

右の二枚を並べると、むろん「ばらいろ」の勝ちである。ばらいろのほうが、よく捌《は》けるそうである。

しかし中には、

〈あの、ホラ、〃ボチボチ、いこまいか〃いうようなん、おまへんか〉

と訊《き》く人もいるよし。〈いこまいか〉というのは、〈いこうではないか〉の河内《かわち》っぽい口吻の表現である。……ともかく、色紙の文句を引いて、私は彼をごまかした。

U夫人は、目顔で私をドアのところへ呼び、声を落して、

〈さっき、こんなことおっしゃいましたよ。〃ボクはもうあかんワ。えらいお世話になりましたなあ〃って。かるく、いわれてましたけど……〉彼女のほうが涙ぐんでそそくさと部屋を出ていく。ふしぎに衝撃はなかったが、

(やっぱり、かしこく、考えてんだ……)

という気がした。テレビの音は絞ってあって、病院内は静かだった。広い窓の外は半分、夕焼け。そんなつもりはなかったのに、傍の小椅子に坐《すわ》り、おだやかな表情の彼を見るうち、子供のように顔が歪《ゆが》んで、涙が出てしまった。彼は私に目を当て、ゆっくりと一語ずつくぎりながらつぶやく。

〈かわいそに。

　ワシは　あんたの。

　味方やで〉

　――ここでわッと泣ければよかったのだが私は涙が引ッこんで、思わず笑ってしまい、

〈なにも五七五でいわなくてもええやないの、パパ！……それ、川柳のつもり!?〉

　うるわしい夫婦愛の愁嘆場がお笑いになって、彼もにやりとした。そして再びいう。

〈アンタかわいそうや、いうとんねん〉

〈？〉

〈ワシはあんたの味方や。それ、いいとうて〉

〈味方って？〉

　彼は疲れたように目を瞑《つぶ》り、口もとざす。静かだ。窓の外の夕焼けは蒼褪《あおざ》めて、鳥たちが町の低い屋根の上を、声もなく渡ってゆく。

　みかた。

　味方。

護符《おまもり》のことなのかな。きっとそう。彼のヴォキャブラリィの抽出《ひきだ》しには、タカラヅカの舞台みたいに〈魂は天翔《あまがけ》ってきみを守るよ〉なんて言葉もなく、〈永遠の守護神となって、浮世の嵐を防いでやるから〉というセリフの持ち合わせもない。〃ワシはあんたの味方や〃というのが、彼流のせい一ぱいの、手持ちのセリフなのだろう。

十一月三日（土）

先月末、私たちの古い友人であるキタノさんがお見舞いに来て下さったとき、彼は意外に元気で、キタノさんは喜んで〈思ったよりお元気で嬉《うれ》しいですな〉とおっしゃっていたが、今日、私の姪《めい》たち、ミナちゃん、かんこちゃんが顔を見せたときも、彼は愛想よく笑い、ミナちゃんが構えるデジカメに向った。私は病室の彼の、最後の写真、という気がしたが、ミナちゃんらは、〈伯父《おじ》さん思ったより元気そうで、よかった！　このプリン、おいしいから、あがってね〉と若々しい声をふりまいて帰った。若い子のオーラは、病室の禍々《まがまが》しい靄《もや》を吹き払ってくれるようで快い。実をいうと私のほうは、昨日今日、ハードな仕事をしてきたので、疲れて床に体がめりこみそうだった。

十一月四日（日）

ミドちゃんは日曜でお休みなので、私一人病院へゆく。U夫人も休み、Hさんという背の高い人が来ている。口中からの出血が止まらず、タオルを汚して、今日は二度洗濯したというが、彼は放射線治療がないせいか、機嫌よかった。先日、私は中国紙幣の元《げん》を入手したので、それを彼に見せたかった。中国は私は未踏の地で、従って、中国のお金も手に触れたことはない。彼も同じ。お札は二種類、少数民族の絵柄と毛沢東の肖像（かなりくたびれているが、印刷の発色は鮮明。日本のそれより派手派手しい）。

これは私の短篇「姥《うば》ざかり」の中国語翻訳化の原作料である。といっても、同題の私の単行本が丸ごと一冊、翻訳されたわけではなく、他の作家の短篇と併せ、世界短篇小説集、とでもいうべき本に編入されたらしい。実物を見ると、日本の教科書のような表紙、そして中身は、というと、例の中国だけに通用している略字体で全く読めない。それはよろしいが、横書きなのに一驚。そこへ符丁のような略字の羅列。日本もずいぶん略字化されているじゃないか、といわれればそうだけど。でも、同文同種とはもういえない。十なん年か前、台湾へ行ったら、むかしながらのなつかしい漢字が町に氾濫《はんらん》していて、ムカシ人間の私には、〈そのなつかしさ、きわまりもなし〉というところだった。文字を辿《たど》ってゆくと、発音はできないながら、文意は汲《く》み取れ、それが気持を豊かにし、土地の人々に親愛感を持たせた。——でも、現代中国文化の略字は、全く、見も知らぬ外国文化という感じ。尤《もっと》も、皆が皆、略字ではないけど。

翻訳者は、さる日本の大学で中国語と中国文学を教えていられ、そのかたわら日本文学翻訳のお仕事にも携わっていられる王冬蘭先生である。細腰美女、という風情の王先生は流暢《りゅうちょう》な日本語で、にこにこと、

〈原作料が僅《わず》かで、すみません。日本円に換えようかと思いましたが、少額ですし、かえってお珍しいかと思って、そのまま、お持ちしました〉。上海の出版公司である。

私は王先生の翻訳技倆《ぎりょう》というか、言語センスに脱帽した。私の原作のタイトル「姥ざかり」は、中国語に訳して、

〈老太婆自由自在〉

私は笑ってしまった。まさにそのほかの何ものでもない。その上、先生はいたずらっぽく、

〈タナベサン、お酒あがるんでしょ、これはわりにいいもので、高官たちの宴席にも出るそうです〉

という逸品の紹興酒まで一本、お土産に下さった。話の花が咲き、手もとにあった既刊・新刊の文庫本などさしあげたりした。

彼は中国のお札を興深そうに手に取り、かざして眺めている。私はいった。

〈ねえパパ、癒《なお》ったら上海へいこうね、これでラーメン食べましょう。上海だよーん。上海の花売娘じゃなくて、上海のラーメン屋に会いにいこ。ねっ〉

〈うん！〉

と彼も力強くいった。

〈でもこれっぽちのお金やったら、ラーメン一ぱいぶんくらいしか、食べられないかもしれないけど。まッ、いいか〉

というと、彼は笑い、Hさんも笑う。もう上海どころか、伊丹のラーメン屋さん

〈天手古舞《てんてこまい》〉でもむつかしいだろう。でも私のいうのは、天界のラーメン屋さんだ。そこでは杖《つえ》も車椅子も要らない、休診日は朝からゴルフへすっとんでゆく、元気な頃の彼がいて、〈小腹《こばら》がすいた。ちょっとラーメン食べにいこか〉

にぎやかな神戸の下町、夜おそくまで屋台のラーメンも来れば、店もおそくまで開いていたっけ。庶民の町で、庶民の診療所のセンセである彼は、店の兄ちゃんをからかいながら、アッという間に、どんぶりをカラにしていた。

そう、彼を待っているのは、天界のラーメン屋〈来々軒《らいらいけん》〉だろうなあ。

でも、〈うん!〉という声が力強くて嬉しかった。

こうやって、なしくずしに私は、彼が〝天界の住人〟になるのに、慣れようとしているのかもしれない。

十一月五日（月）

今日は放射線治療あり、彼はとても苦しそうだった。Hさんが痰《たん》を取るとき斟酌《しんしゃく》なしに手足を押えつけたというので、にらんで〈バカ〉といった。Hさんは意に介さず

〈病人さんはみな、こうですよ〉。言葉つきはやさしいが、うそぶく風情。それは職業的狎《な》れというより、かくし持ったふてぶてしさ、というようにもみえた。といって彼のいうままにしていたら痰も取れないし、というところ。

十一月六日（火）快晴、放送局へ。

新築の大阪放送会館、窓から大阪城が丸見え。スタジオでなくロビーに設営された場で観衆のドまん中での放送だった。私が〈あけぼの〉という銘をつけたドレス。放送中からどしどし視聴者のＦＡＸが入ってくるのは驚き。私は案外たのしくしゃべれたけど、あとで見せられたＦＡＸ、〈きゃハッ、タナべさん、かッわゆい〉なんてあって、度肝を抜かれてしまった。

帰宅してすぐ病院へいってみると、彼は昏々《こんこん》と眠っていて、Ｕ夫人が、〈放送、きれいにとれてました。大《おお》先生、よろこんでご覧になってらっしゃいましたよ〉とのこと。でも彼は眠りこんだきり。〈申しわけございません〉とＵ夫人は自分の責任のようにすまながっていた。

十一月十日（土）

昨日から、一宮町《いちのみや》（兵庫県宍粟郡《しそう》）の山小屋に来ている。年一回、この播磨《はりま》の山ふところの小さな町で、私が講演することを約束しているから。――

この町の小学校の講堂やら公民館で一時間半の講演、ずっと古典について。去年は『源氏物語』の魅力」であった。今年は「百人一首の世界」である。

昨日、迎えの車で一宮の小屋へ着いてみると、Nさんとケンちゃんが居てくれて、掃除まですんでいた。Nさんたちに小屋の管理や掃除をたのんでいるのだが、外まわりの清掃や木々の手入れは男手でいいとして、家の中の、たとえば掃いたり拭《ふ》いたりのほかに、蒲団《ふとん》を干す、お茶の葉を買い足す、といった仕事は、やはり女手でなくては。――というので、Nさんのおくさんにも世話をかけることになる。多忙な人なのに、ちゃんとゆきとどいた心づかい、長いおつきあいとはいいながら、ありがたい。

もう何十年来の友人たちだ。私も〈彼〉も、一宮町とその住民が、とても好きだった。（私たちは、人間や事物、世間の現象についての嗜好《しこう》が、たいてい、一致する）

ケンちゃんは、Nさんの甥《おい》っ子で、小屋の造作や、あつらえ家具など作ってくれる木工作家、元気盛りの青年だ。こんなに自然に囲まれたところでは、彼みたいに原初的な男の力が要るなあ、としみじみ思わせられてしまう。庭の雑草刈り、薪《まき》割り、枝打ち。――女は、やっぱり、腕力・体力において男に劣るからなあ。たとえば、難破船から幸いボートで脱出し、漂流の末、絶海の孤島へ漂着したとする、しかし、女一人では、小屋も建てられないし、食糧の鳥・けものも獲《と》ることができない。女のロビンソン・クルーソーは無理なんだ。なんていっていると、Nさんが、

〈ナニ、男でもあかんやろう、男は腕力があっても、気力が無《ね》えけえのう。気ィが小《こ》ンまいけえ、すぐポシャるやろう。そこへくるとオナゴは強い。小屋は建てられんでも、木の洞《うろ》へ入りこみ、鳥・けものは獲れんでも、海辺へ行て、ワカメや貝を拾うて飢えをしのいどろう〉

〈そうかナー〉と私とミドちゃんはいった。

〈そこへ、船が通りかかる〉Nさんは串《くし》の牛肉の焼け具合をみて、一同の皿へ配りつつ、

〈こっちでは女が腰巻《おこし》ぬいで旗みたいに振って合図する……〉

〈なんでそこでぬぐんですかっ〉と怒るミドちゃん。

〈いや、振るもんがほかにありゃエエが、ないから、腰巻《おこし》を……〉

〈もう、そこはいいからっ〉

〈向うは、オヤ、というんで望遠鏡で見て、「オナゴやっ」と目が点になる、すぐにボートをおろして救いに来てくれる、これが男やと、誰が助けにいくか。あほらしもないと、通りすぎていくやろ、みい、オナゴの方が強いんじゃ〉

〈アホやねえ……〉

炭火の火力の強さに、誰の頰も火照《ほて》り、みんな笑ってしまう。さつま芋も玉葱《たまねぎ》もしいしいしとうも、香《こう》ばしく焼ける。〈彼〉を連れてこなかった、ということが、こんなに楽しいものだとは思わなかった。この前の夏休みのときもそう思ったが、このたびは、はっきり、それをたしかめた、という風情。夜はじっかり、眠った。長い間の介護が、どれだけ心身の負担だったか、省察される、深い眠りだった。

しかし目覚めると、別の緊迫感で、私は元気よく跳ね起きた。今日は講演の日だ。一宮町の外からもたくさん来るらしい、と町役場の人々は期待している。お隣の民宿から朝食を運んでもらい、おいしく頂く。

舞台は秋の風情で、紅葉やススキをあしらい、美しく飾られていた。「百人一首」は面白そうな歌と、作者の略歴（なるべくドラマチックな生涯を送った人）を、ゆっくり語ることにしている。「右大将道綱母《うだいしょうみちつなのはは》」なんかがいい。——女性歌人を多くとりあげるのも、恋が語れるから。……

というわけで、私自身もたのしくしゃべり、みなさんにも喜んでもらえた。あとは町役場が設営して、町長さんたちと打ちあげ会。

〈よう、あない、すらすらと歌が出よりますなあ〉

と助役さん。私はメモなしでしゃべるから。

〈センセのあたまはコンピューターじゃろうの〉

というのがNさんの結論であった。

十一月十二日（月）

郵便物も仕事も山積。病院へ行くと、彼は疲れ果てたさまで、返事もできず。

〈今日はご機嫌わるいです〉

とU夫人。口腔《こうくう》外科の診療の日はとても辛《つら》そう。

〈でも、センセの描かれたスケッチを、昼間、じっと眺めていられました〉

黄色コスモスの小屋の絵を。でも彼は目をつぶったまま、口を利く元気もなさそう。

お粥《かゆ》、柔いうなぎなど持っていったけれども。

私たちと入れちがいに、長女が娘を連れて見舞いに来ていたらしい。

十一月十六日(金)

リーガロイヤルホテルで恒例の古典の講義。今日は「平家物語」、一時間半でしゃべるので、準備がたいへんだった。しかし終えてみると、うまくまとめられた気がする。

それに、すんでから男性の聴講者二人が、サインして下さい、と本を持ってこられたのは嬉《うれ》しかった。五十年輩の紳士たち。

帰宅、午前三時まで、原稿を書く。今日は病院へ、刺身、玉子とじ、小さいおむすびなど持っていったが、吸入をしたとのことで、苦しそうだった。話もできず、だった。

——原稿の仕事のあいま、この間見た新聞記事のことを思い出す。長距離を飛ぶ、といわれる、〈アサギマダラ〉という蝶《ちょう》がいる（私が辞書で調べると、黒と栗色の羽に薄青い斑点《はんてん》の大型蝶で、開張十センチに及ぶという）。この蝶が台湾から日本に飛来していることを、「『アサギマダラを調べる会』（事務局・大阪市）が確認した」（01・11・5毎日新聞）と。台湾で印を付けられた二匹を、滋賀県などで発見したそうである。

渡り鳥のように海を越える蝶なのだ。蜜《みつ》を吸う花を求めて春・夏は北上し、秋に南下するという。同会は、国境も越えるのではないかと、台湾大学と共同で、約三千匹に印をつけたという。台湾北部で、昨年春から夏にかけてのこと。

新聞によれば、「このうち、同6月19日に印を付けた1匹を、同7月2日に１１４0キロ離れた鹿児島県喜入《きいれ》町で発見。同6月26日に印を付けた別の1匹が、同8月4日、１７９0キロ離れた滋賀県志賀町の比良山《ひらさん》スキー場で見つかった。長い間、飛び続けたためか、羽はボロボロだった」

四十日かけて千八百キロを飛ぶ蝶。まるで冥界《めいかい》へ翔《と》んでゆく人間の魂みたい。彼の魂も、いま、アサギマダラ蝶みたいに、羽もぼろぼろになって、それでも落ちずに、冥界さして翔んでいるのではないかしら。

それを呼び戻すすべは、もう人間には、ない。

そして彼も、もう過ぎてきた現世の此岸《しがん》に未練はないようにみえる。濃い疲労の影に隈取《くまど》られ、それなりにおちついている彼の面《おも》ざしをみると、現世の愉悦や興趣とは、どんなに遠くはなれたところにいるかを思わせる。

でも、そのことと、

(ほんとに、いっちゃうの?)

という私の想い、そばにいるチビやアマやスヌー、デコ、カッちゃんたちの、

(ぼくら、おいて、いっちゃうの?　おったん)

という声のない声とは、また、べつのものである。チビらはみな、泣いていた。

十一月十八日（日）

今日は宇治市へ。宇治では紫式部文学賞の贈呈式、二時からだけど、宇治は遠いので、午前十一時半出発。今年の紫式部文学賞の受賞者は選考会での日記にしるした如く、富岡多恵子さんの『釋迢空ノート』である。私と多田道太郎先生とで選評。この会には宇治市関係の政治家さんたちも来られるので、釋迢空という特異な文学者のアウトラインを、私はまず話して、それに対する富岡さんの研究・考察のユニークな点、また、関西の風土の妖気《ようき》が釋迢空の本質と共鳴していることへの、富岡さんの透徹した視線――への評価、など話したと思う。

式のあとはライザ・クリフィールド・ダルビーさんの講演、これは聞きたかったが、私は風邪気味なので、大事をとって、待ってもらっていた阪急タクシーのクリちゃんの車で、おしゃべりしながら帰ってきた。病院へ行けず。疲れてやすむ。

十一月十九日（月）

いそぎ病院へ。パパを見てぎょっとした。骸骨《がいこつ》みたいに痩《や》せている。右頰と耳に、どす黒い火傷《やけど》。肩の肉なんか、なかった。今日来ているHさんはあいかわらず、口の滑りはよいが、誠意ない感じ。〈彼〉は半分、死者みたい。口をきくどころではなかった。

十一月二十日（火）

今日やっとU夫人に代る。ミドちゃんといろいろ、たべものを持って病院へいくが、疲れひどく、ものもいえない様子。

十一月二十四日（土）

今日は堺で、「自由都市文学賞」の表彰式と、あとで、第二部フォーラムへ出ないといけない。ここの選考委員は私と藤本義一さん、眉村卓さん、難波利三さんである。今日のフォーラムは「私の惚《ほ》れた本」という、昔の愛読書について語る会。今年の受賞者も出席、ここはいつも暖かい感じの会。地方の文学賞を振興したいと思う私には嬉しい。帰ってすぐ病院へ。

〈おそい〉と彼にいわれたのはよかった。

〈遊びすぎて、ここへ来るの、忘れてた〉と私。

〈あほ〉

あほが出るならいいや。

彼は手をのばし、私の琥珀《こはく》のペンダントに触れた。私のアクセサリーに興味をもったことなど、ない彼なのに。私が、

〈これ、琥珀よ。でもダイヤのが欲しい。こんど買ってね〉

といったら、思いもかけず、彼から、

〈うっせえ〉

いつもの口癖が出、嬉しいはずなのに、なぜか、のどがつまってしまった。

十一月二十六日（月）
やっとミドちゃんが来てくれてホッとする。土・日はミドちゃんがお休みで、すべ

ての辛労が私一人に掛る気がする。しかし彼女もどちらかというと、蒲柳《ほりゅう》の質、という感じなので、休めるときには休ませてあげないと、これからが正念場だから。

朝日夕刊の連載、おくれがちで、悲鳴をあげんばかりに係りのSちゃんが訴えるので、がんばって二本送る。書いているぶんには、気持は平静で、たのしく筆が動く。

パパのことは、ちょっと横へのけて、――という気分で、原稿に没入できる。これは何なのだろう。私ってその場その場の出来ごころか。

病院へいったら、あいかわらず、うつらうつらという状態。あんなに家へ帰りたがっていたのに、もうこの状態ではだめかもしれない。昔、よく彼と〈神様《サン》〉の話をした。神サンは皮肉屋で、腹黒く、人を陥《おとしい》れることばかり考えてる、と彼は楽しそうにいう。罠《わな》をかけて、人がそこへはまると、手を打って笑う、というのである。私は反対した。

〈でも、あたしはパパにめぐりあって、とても面白い人生でよかった、って思ってるから、私には、神サンは好意的に接してくれたわけよ。仕事も、まあまあ、やし……〉

〈神サンが持ちあげてくれるのは、あとでこっぴどく落すためじゃ〉

と彼はにやにやしていう。

〈どすん、と落すの？〉

〈どすんかポチャンか知らんけどな、みてみ、絶対その内エライ目にあわしよンで〉

〈そうかなー、それは困るよう〉

なんて、そのときは何ごころもなく笑ってたけど。——たしかにそうなってる。でも彼はそんな考えを、どこで拾ってきたのだろう。異次元を漂流しているような、この世のものならぬ寝顔でいる。

神サマ、私をひどい目にあわせないで下さい。……やっぱりパパはダメなんですか。スヌーたちが会いたがってるので、もういちど帰してやって下さい。帰りたがったこの家に。

（そないして、下手《したで》に出たら、神サン、よけいつけあがって、悪戯《わるさ》しよるデ）

と彼がいいそうで、私はフト、笑ってしまった。見ると、スヌーもアマもチビも、泣き笑いしていた。

十一月二十七日（火）

夜、編集者のIさんとちょっと離れた武庫之荘《むこのそう》の「和《いずみ》」へゆく。今夜は閑静で、ほかに客はいず。Iさんは出版界も不景気で、という話をいろいろしてくれたが、快活な人なので、不況話さえ笑えた。ここのお料理は、家庭料理の凝ったものといおうか、お惣菜《そうざい》に手をかけてすてきな一品にしたといおうか、店主のお兄ちゃんの心はずみが感じられてたのしいもの。すっかり気分がよくなって、ミドちゃんもよく食べ、近くの店へ歌いにいく。やっと人心地ついた。私は元気を出して「河内《かわち》男ぶし」。ラスト近く、やっと声が本調子に。

十一月二十八日（水）

一日かかって十枚の原稿仕上げ、ほっとしていると、近くの男友達、M君が、おっちゃんどないですか、とのぞいてくれる。

〈うん、電話では、まあまあ、ということとやったので、今日はいってない〉

というところへ、原稿の送り先から電話、とっても面白かった、ということなので、気をよくしてにわかに目の前が明るくなり、

〈Mちゃん、飲もうよ、あり合せだけど〉

ミドちゃんと三人、酒盛りになる。Mちゃんは中年男らしく世間の状況をさまざま伝えてくれて面白い。何の話からか、ホームレスの話題が出て、大阪城や長居公園へ行ってみなはれ、電気来てるよって一家で気楽に住んではりまっせ、〃自転車パンク直します〃いう看板なんか、かかったりして、——なんて。

そういえば、武庫《むこ》川の西の川原に掘立小屋がありますけど、——とミドちゃん。見るともなしに見たら、玄関のドアが開いてて中の座敷、二タ間見えましてね。豪邸でございました。軒に風鈴まで吊《つ》ってありました。……

〈方丈記ともいわれへんわね〉と私。みなでわっさり、たのしく飲む。

二人とも帰ったあと、ベッドで考える。(母と付き添いのTさんはとっくに眠り、リビングの連中——スヌー、チビらも眠りこけている)

もう十年ほど前になるかしら、彼は循環器病センターに入院していたが、係りの看護師さんの報告書に不思議な一行があった。

「病気に無関心」

担当医師が、笑いながら、〈そうですか?〉と私に聞いた。

いえてる、と私は思った。すでにそのころから、彼はそんなところがあったのだ。その看護師さんはよく見てる、と思った。べつに浮世ばなれした発言行動もなく、表情もことさら、模糊《もこ》としているわけではないが、病院にいるときの彼はつねに遠くの物音に耳を澄ますような、何かに心奪われたさまになる。自分の病状について医師に問いただし、クスリの効果をたしかめる、というような熱意はなく、ハイハイと病院側の指示に従うものの内心は（こうまでして生きとうないんやが、……）という困惑が感じられる。

そしてまた、昔の楽しい話題の一つを私は思い出す。それは、もし私が先に亡くなったら、パパ、どうする？　というものである。彼はいう、即《そく》、どこかへ引っこんで世間へも出ず、そっと暮す。食べものは？　と私が聞くと、手もとにあるだけ食べて、なくなったら食べない。

それじゃクマの冬眠ね、と私は笑い、彼も笑った。笑いついでにあるときそれを長女に話すと、リアリストの主婦である彼女は、眦《まなじり》を決して、という勢いで、〈そんなこと、あたしがさせへんわッ〉と烈しくいっていた。

しかし、〈熊の冬眠死〉は彼らしくて、いさぎよい。それもいいだろう。

でも酒が飲めるあいだはまだよかった。そのころ一合の酒をもてあますようになり、私のほうは深刻に受け取らず、〈勿体《もったい》ないから五勺だけ暖めるね〉なんていっていた。それすら、空けられなくなった。盃《さかずき》に一ぱいついで、空けずに、しかしにこにこと、時々、嘗《な》めた。それでも私は、それを彼の新しい趣味か座興だと思い、自分はじゃんじゃん飲んで、彼に冗談をいった。時によると彼も応酬して、楽しそうだったから、不敏《ふびん》の私には洞察できなかった。——ここまで落ちるのはまっしぐら、という感じだった。「病気に無関心」は別の意味で、私のことであった。私は無智で気付かず、彼はわかっていながら無為に手を束《つか》ね、〈神サン〉は、阿呆《あほ》なカップルや、と嗤《わら》うていられたであろう。

——そんな、救いのないことを考えながら、それでも何としたこと、私はすやすやという感じで眠りに入った。疲れに疲れ果てていたのだろう。

十二月三日（月）

三十日から四国取材へ出かけ、昨日帰着。四国のおみやげを持って病院へ、今朝い

った。私はよさこい節を口ずさんで、これは元来が時事諷刺《ふうし》の宴席即興歌なんだって、と地元で聞いたことをいう。たとえば、

〽田中外務大臣外務省の中で、

またも嵐をまきおこす……ヨサコイ、ヨサコイ……

なんて。パパはまじまじと私を見ていて、明るい顔つきだった。U夫人が、今日はご機嫌よろしくて、と喜んでいたのに、夕方、病院から緊急の電話、誤飲で呼吸困難となったと。すぐ病院へ、タクシーで。先生四人が交代で付き添って下さって、どうやら八時ごろ落着く。パパも疲れただろうけど、私やミドちゃんもぐったり、食事途中で立ったのだけど、続ける気にならない。

パパが青黒い顔色で消耗しつくしたように眠っているのをみると、これはいまはじめて見る顔じゃない、と思えてきた。ずっと昔、まだ元気で開業していたころ、いっとき、こんな顔を見たことがある。昭和四十年代の後半ごろか、ウチは愚息二人とも、中核だか革マルだかに血道をあげてたいへんだった。学生のころにろくに家にいなかった記憶がある。

息子の一人は中核グループの下っ端の下っ端とかで、梅田の事務所によく行きっき

りだが、たまに帰ると、どっさりの洗濯物とともに、おかしい話ももたらした。世を忍ぶ仮の姿という感じで〈上方《かみがた》文化研究所〉なる看板を上げていたら、通りすがりのおっさんが立ち寄って、〈松鶴《しょかく》の落語集おまへんか〉といったそうだ。壬生浪《みぶろ》みたいなあばれ者の集団とはいえ、さすがに昔の大学生、素っ町人の成人《おとな》には礼儀正しく、〈ありませんけど〉というと、〈ほかにどんなんおまっか〉と訊《き》かれ、みな難儀したと。

それはともかく、そんな運動に憂身《うきみ》をやつしているから、学校関係の悪評高く、神戸は狭い町ゆえ地もとの評判もかんばしくない。彼の吐言《こごと》には青臭い理論をふり廻《まわ》して、困った連中であった。かの〈あさま山荘事件〉の犯人の中に、未成年兄弟が居り、加藤兄弟といわれ有名であったが、兵庫県教委の間ではウチのは、カワノ兄弟で鳴らしていたそうである。

彼がいい聞かしても聞かぬものを、義弟や私が口を出しても効きめはなく、その当時眠っている彼を見たら、消耗して青黒い顔になっていた。あるとき一ぺんにプッンと切れたらしく、二人を抛《ほう》り出し干渉もやめた。すると自然彼らも戦線離脱して或《あるい》は復学し、或は働き出した。

〈あさま山荘事件〉の犯人の一人、板東国男のお父さんは〈世間を騒がせたことを死んでお詫《わ》びします〉と首を吊った。いやもう、それぐらい、このとき世間とマスコミは親を叩《たた》いたのだ。犯人への憎しみは無力な親への攻撃にすりかえられた。〈親の顔が見たい〉と罵詈《ばり》雑言《ぞうごん》を浴びせた評論家たち、いまも健在で、時勢に応じた筆陣を張っていられる。しかし、私と彼は板東のお父さんに一掬《いっきく》の涙をそそがずにいられない。お父さんは責任感で追いつめられたのだ。

二タ月程前、某紙に唐牛《かろうじ》健太郎（六〇年安保の全学連委員長）のことを感傷的に追想する文章が載ったが、唐牛より板東国男のお父さんのほうが、もっと哀切な時代の犠牲者で、人間としてまっとうだ。革命家は自己陶酔のうちに死ねるが、革命家の親は現実と理想の矛盾・相剋《そうこく》の皺《しわ》寄せを一身に受け、社会に対して死んで責任を取る。それを知る私と彼は〝時代の戦友〟でもある。

十二月四日（火）

姫路へ十時出発。女性ばかりの会の講演、三百人とのこと。『源氏物語』を、という希望なので、快くひきうけたのだった。昨夜の騒ぎ（彼は誤飲で呼吸困難となった）の、今日だけれど、今は平静で、やすんでいられます、という病院の報告。私は派出家政婦さんを二人確保して、交代で夜昼、見てもらっている。病院事情に詳しく、病人看護の経験豊富な人たちなので安心だった。公的援助（福祉関係の何か）を期待できるものかどうか、もうそんなことにかまっちゃいられない事態。老母の入浴介助だけは福祉関係に頼んで、週に二度来て頂き、これは大助かりである。風呂《ふろ》で転んで骨折でもしたら大変だ。

そんなわけで、〝後方〟は大丈夫と手を打っておき、私は勇躍、戦場へかけつけたわけだが、一時から二時半と聞いていたのに、いいえ、一時半から三時でございますと係りの夫人はいう。どこかに手違いがございました、申しわけございません。優雅にあやまられるが、講演というものは、体力・精神力とも満を持して放つものなので、三十分もずれるというのは、梯子《はしご》をはずされたような気分でやるせない。私にとっては前代未聞の椿事《ちんじ》、といっていい。その上、三百人の予定が七百人になったという。それはよいが、急遽《きゅうきょ》、会場を広くしたため、横長となってしまった。講演会場が横長というのは、いたくしゃべりにくくてせつないもの。聴衆《みなさん》と視線を合せたい私は、いつも会場を見渡すが、これが左右、広角ワイドになると、顔を振り向けるのがたいへんなんである。熱心な聴き手で、気分はよかったものの、そのあと私の本のサイン会。ふらふらになってタクシーへ匍《は》いあがり、達成した満足感よりも、しこりのある疲労感をおぼえた。しかしさすがにオール女性の聴衆というのは、雰囲気が花やか、晴れやかだ。それに見送って下さったみなさん、口々に「とってもよかった」と、あっけらかんと明るく手をふって下さって、播磨女は快活らしかった。

夜まで疲れとれず、病院へいけず。食事も摂《と》れぬぐらい疲労困憊《こんぱい》。

十二月七日（金）

二日、たまった原稿書きに夢中、今日は三時に家を出て、大阪のリーガロイヤルホテルへ、「文藝春秋」の仕事で、福田みどりさんと対談。みどりさんは、司馬遼太郎夫人であるが、私の出身校・樟蔭《しょういん》女子専門学校・国文科の二年後輩という関係でもある。

久しぶりに会ったので、対談、というより、〈オンナのおしゃべり〉はたのしく弾んだ。あと一同で会食、という予定だったが、ここ数日、病院とは電話連絡のみなので、どうしてものぞきたくて、〈えーっ、飲まないのお？　そうか、タナベさん帰っちゃうのかァ〉というみどりさんの残念そうな声にうしろ髪引かれる思いで帰ってきた。ごめん、みどりさん、もうすぐ、ゆっくり飲めるかも。……

十二月八日（土）

仕事山積の中を、私一人、いそぎ病院に。私の体力も限界だったが、痩《や》せこけた彼も、せっぱつまったという状況。ベッドのそばにしゃがんで彼を見ている私の首に、腕をまきつけた。口をきく気力もなさそうだったが、それはまさしく、〈助けて〉といいたそうだった。私の父が死んだときのことを思い出した。

昭和二十年、終戦の年の暮れ、父は死んだが、その間際はよほど苦しかったとみえ、体の持っていき場がなさそうであった。母は父のあたまを膝《ひざ》にのせたり、ものに寄りかからせてみたり、〈しんどいねえ、しんどいねえ……〉といいつつ肩を抱いたり、体のあちこちを擦《さす》ったりした。喘《あえ》いでいる父より、母のほうが物狂おしかった。私たちち子供三人は、（手出しできない……）という感じで、ハラハラしながら眺めているのみだった。そう、子供は何たって傍観者にすぎない。〝ハラハラ〟で見守るのみ。苦痛を、死を、共有するのは夫婦しか、ないのだった。

私は彼の手をそっと離して首や肩を擦《さす》りつづけた。派出婦のハヤシさんは病室にいなかった。私は無表情に目をつむっている彼にずっといい続けていた。〈パパ、大丈夫よ、すぐよくなるから。――ここにあたし、います。いますからね〉

――ここに、あたし、います――

そういってやることができて、ほんとによかった。まだしもの幸せ。これが反対だったら……つまり、彼があとへ残ることになったら、あんまりかわいそうだもの。いくら〈病気に無関心〉な彼とはいえ、また、いくら〈クマの冬眠死志向〉の彼とはいえ、……などと考えていて、こんな場合なのに、ふと微笑がこぼれてしまった。

すると、私の、声もない笑いの波動が彼にも感じ取れるのか、表情から、こわばりが消えた。笑うこと、笑い声が好きな彼だから。

昔、子供たちが小さかったころ、〈子供憲章〉はたった二つだったっけ。一、メソメソするな。二、喧嘩《けんか》するな。いちばん小さいミッコが、あるとき、

〈お父チャンのきらいなもん、なあに？〉

と訊《き》いたことがある。彼は言下に答えた。

〈泣き声〉

〈ほんなら、好きなもんは？〉

〈笑い声〉

ミッコは歯ぬけの口をあけ、ケタケタと笑い、〈アタチの好きなんは、イノウエのチョコボールや〉といった。イノウエは町内の駄菓子屋さんで、子供たちはお小遣いを貰《もら》うとイノウエへ入り浸った。〝アテモン〟やその景品が、私の子供時代そのままにあったが、のちにはいつとなく、その駄菓子屋さんも姿を消してしまった。

彼はミッコに、〈イノウエのチョコボールあげるから、笑いなさい〉といったりした。舌足らずでアタチとしかいえなかった末っ子のミッコも、いまは二人の男の子のお母さんだ。

そんな彼だから、微笑の波動という、好ましいものを感じ取れるのだろう。笑みを泛《うか》べそうなおだやかな顔になり、いつか浅い眠りに入ったみたい。あとをハヤシさんに任せて帰った。

帰って、たまりにたまった新聞を読む。二日に内親王さまのご誕生があり、今年、国の内外は多事多端だったけれども、このご慶事で、〈暗雲、一時に吹き払われる〉という感じである。

十二月九日（日）

病院へゆくと、彼は点滴中、たべものは口から入っていない。痩せ削《こ》けてもう死骸《しがい》のような彼。こんな川柳、あったっけ、――そうだ、「柳樽《やなぎだる》」。「やせこけた死骸があるとわらび採《と》り」――周《しゅう》の粟《ぞく》を食《は》むことを拒んで首陽山でわらびを食べ、餓死した志高い殷《いん》の処士《しょし》、伯夷《はくい》・叔斉《しゅくせい》の兄弟。

彼も現代の〃処士〃であろう。処士というのは民間に在って、仕官しない人、と学校で教わったが、私には処士より、彼は〃隠士〃に思える。〃仙人〃といってもよい。仙人の度合がすすんで、いまや、仙境に入ろうとしている。……こんなことを考えているのは、現実を直視する勇気がないからかもしれないし、私の気持のスピードがあがるのを、理性が辛くもブレーキをかけているせいかもしれない。

今日はまた日曜、快晴なれど。

帰ろうとすると、痰《たん》がつまったといい、看護師さんに痰を取ってもらう。いかにも苦しそうだった。

十二月十日（月）

伊丹のホテルで〈しばわんこ〉の作家、川浦良枝さんと「MOE《モエ》」の対談。私は〈しばわんこ〉ちゃんのファンで、『しばわんこの和のこころ』（白泉社）の帯にすいせん文まで書いたんだ！

〈しばわんこ〉という柴犬ちゃんと、〈みけにゃんこ〉の猫ちゃんの可愛いことといったら！　この絵の作者、川浦さんはおきれいで楚々《そそ》とした風情（そんな日本語があることを思い出させて下さるような方）。私は、川浦さんにいった。私が川浦さんの絵を真似て、しばわんこちゃんが日の丸の扇子を持って両手をひろげ、〈パーッといこうぜ！〉と激励している絵を描き、それをおっちゃんの病床の枕元に置いてること。

女性イラストレーターには美人が多く、（私はたくさんのかたに本の装幀《そうてい》や挿絵をお願いしたから、かなり存じあげているが）しかも描かれるヒロインはご本人に似ているのもふしぎに共通している。川浦さんとしばわんこちゃんと一緒にするのは失礼かもしれないが、しばわんこちゃんの品のよさと愛らしさは、ご本人そっくりだった。楽しかった一日。

十二月十一日（火）

彼はお薬も流動食も摂れず。仕事が多いので、重い足で帰宅した。原稿の催促いっぱい。

十二月十二日（水）

音楽大学で「源氏」の講演。オペラ「源氏物語」が上演されるので、それにそなえて。学生さんが聞いて下さるのなら、……と引き受けたのだが、半分は一般人、学生さんは女子ばかりであった。でも私は力こめて話した。

今日は十二月十二日、昔、私の祖母は細長い小さい紙に「十二月十二日」と書いて天井や柱の上部に逆さまに貼り、〈泥棒よけのおまじないだす〉といった。十二月十二日は、何でも昔の大泥棒、石川五右衛門《ごえもん》が処刑された日だそうである。逆さまに貼るのは、上から忍びこむ泥棒に読みやすいように、との配慮。泥棒はふと、貼紙を見、〈石川五右衛門みたいな大泥棒でも、つかまって釜茹《かまゆ》での刑に遭《お》うた、そうや、悪事はあかん、止めよ、と思いとどまりますのや〉――と祖母の話。幼いときは、ほんとうに納得したものだ。

彼はこんな迷信や伝説に全く、関係ない育ちである。石川五右衛門なんて、本土だけの伝説《おはなし》だもの。それでも私の話を、彼は面白がって聞き、祖母が信じこんでいたことを嗤《わら》ったり、しなかった。彼の生れた奄美《あまみ》の島にはまた、〈ケンムン〉の言い伝えがある。たぶんこれは〈怪《け》のもの〉というような意味だろう。樹に棲《す》む妖《あや》しの精霊で、いたずら好きだが、悪いことをするとは限らない。しかし子供の時は〈ケンムン〉をとても怖れた、と。……共棲みする男と女、同郷だとそれはまたそれで楽しいこともあろうが、異郷同士であってもこれまた珍話奇談も多く、興趣尽きない。

――今日見た病院の彼はあいかわらずうつらうつらしており、痩せて髯《ひげ》だらけ、チビが私を笑わせようとしてか、〈ホームレスのおじさんぽいね〉とささやいたぐらいだった。——何だっていいから、パパ、また元気になってケンムンの話、してよ。……私の声が涙まじりになったせいか、アマがいそいで、〈おったんがケンムンみたいだね〉という。みんながけんめいに私を慰めてくれようとしてるみたい。

十二月十三日（木）

必死で「本の旅人」の原稿を書く。必死で、——というのは、単に時間との競争、という意味であって、内容的には大いに楽しんで書いている。私は書くときあまり渋滞しない。むしろ鉛筆が進みすぎて、〈とめてとまらぬ騎虎《きこ》の勢い〉……という感じになったとき警戒する。こういうときの勢いには、ホンモノとニセモノがある。ホンモノはほんとに興趣横溢《おういつ》して筆が奔《はし》る、という場合であり、ニセモノは発想のすじ道が、フト以前に書いた記憶に迷いこんで、知らず知らずのうちに同工異曲の文章を綴《つづ》ることになる場合だ。

この話を以前、彼にしていると、〈〝同工異曲〟いうたかて、それは元々、自分の書き、考えたことやろ〉〈もちろん〉〈それなら他人《ひと》の考えやないから、べつにかま〈へんやないか〉と彼は不審そうにいった。

こんな彼の考えかたのほうが、私には斬新《ざんしん》であった。素人《トーシロ》というものは、ときに玄人の虚を衝《つ》く。

このときは、私は、〈それもそうね〉と同意して、敢《あえ》て異をとなえなかった。何しろ、議論はヨソでしてくれ、議論してまで〝夫婦してる〟ことはない、という男だから。しかし文筆業者はアイデアのオリジナリティー一本によって立つものなので、いくら自分の着想だとて衣替えしての再登場はできない。ただし、執筆者が年を加え、人生観想や人間への知見を深めたとき、昔の着想に筆を加え、その浅見を正す、ということはあっていいであろう。

剣道の修練を積んだ人が、長くお面をかぶっているうち、面擦れができるように、人も〈生き擦れ〉ができてからの考えかたのほうが深いであろう。生き擦れ、というのか、生き胼胝《だこ》というのか……。

そんなことを考えているうちに書きあがり、二時から編集者の来訪、あと、いそぎ病院へいく。彼は痩せてうつらうつらしているのみ。今日、働いてくれている人々に、心ばかりのボーナスを出す。

十二月十九日(水) 晴れ。

十七日に博多で講演。「マチュア倶楽部《くらぶ》」の主催、「宇治十帖《うじじゆうじよう》の世界」――会場の福岡アクロスに着くなり、殆《ほとん》どすぐ講演、やっと間に合った、という感じ。ちょうど、新内親王様のご誕生に際し、〈賜剣《しけん》の儀〉という古来の吉例がニュースで報道されていたので、早速、千年前の『源氏物語』にも、匂宮《におうのみや》と中《なか》の君《きみ》の間に生れた若宮に、宮中から剣を賜わるくだりがある、そのくだりをまず紹介する。

「御佩刀《みはかし》たてまつらせ給へり」(「宿木《やどりぎ》」の巻)

〈文化の伝統って、なんてすごいことなのでしょう、千年前のおめでたいならわしを、そのまま、現代に伝えていらっしゃるのですね、幼な子のすこやかな成長と神の加護を、祖霊に願われるしるし、でしょう。匂宮の第一子でいらして、しかも男皇子《みこ》なので、匂宮のご両親でいられる帝《みかど》と、明石《あかし》の中宮《ちゆうぐう》とのおよろこびはひとかたではなかったのですね。

さて、匂宮は、このまえ、本篇でも可愛い少年で登場しますが、この「宇治十帖」では、はや青年、色好みの、美貌《びぼう》の貴公子です……〉

そんなふうに話に入ってゆく。

「マチュア倶楽部」は高年男性も一般より多く、しかしやはりそれをうわまわり、中年高年女性が多い。私はここでも、それから〈九州市民大学〉（博多）でも、以前に『源氏物語』を話している。私の目的は、『源氏物語』を究極には読んでもらうことである。原典はとりつきにくく、かえって興をさますと思うので、誰の現代語訳でもよい、本を手にとってほしい、と思う。

そういう気になって頂くため、聞いて面白く思われるよう、メリハリつけて話すのだが、あるいは逆効果かもしれない。ある六十代男性が、私の講演『源氏物語』を聞いて、

〈いやー、面白《おもろ》おました、そんな物語《おはなし》やったんですか、いや、ようわかりました、これで、本は読まんですみますワ〉

といった。これでは物書きも出版社・本屋さんも〈あがったり〉であるが、しかし私は、古典愛慕の草の根運動として、やはり作家が語る古典、というのも大事だと思

う。時折り聴衆のアンケートを見ると、（こういうのは都会人士に多いが）〈筋書きだけじゃないか〉という批判がある。筋書きだけしゃべって、五、六百人の聴衆が身じろぎもせず聞いているわけはない。

もし私の話がいくらかでも興を惹《ひ》く、とすれば、〈物書き〉の眼で原作を読み、〈物書き〉の言葉で、しゃべるからだろう。——それから、年齢もある。いくら不敏にして迂愚《うぐ》な私も、七十の声をきき、浮世や人間のさまざまにささやかな感慨をもつに至った。〈トシのせい〉はいろんなところに影響を及ぼすもの、——幸い、ここ福岡は、聴衆《みなさん》の反応はいつも好意的で、熱心である。——昔の私は、人々の前で講演することなど、思いも染めず、生涯、そんな機会が来ようとは想像さえしなかった。人の運命はわからない。阪神大震災で、ボランティア講演をしたのがきっかけだった。——あれは、身のほどを知らずにいえば、神さまよりも、紫式部に招喚されたのかもしれない。

十八日、下関取材。今日お昼に帰宅、すぐ病院へ。彼は口は利かないが、眼に力あり、私のいろんな報告を、表情を柔げて聞いた。

午後、K先生と対談。

十二月二十日（木）

直木賞候補作、一冊読了、面白かった。

夕方、ミドちゃんと病院へいくと、彼はわりに元気で、表情は動くが、モノはいえなかった。耳もとに口をつけて話すと、口辺にほほえみを浮べたりした。わかっているが、しゃべるのは大儀、というところかしら。

夜、母とミドちゃんと三人の夕食中、母はやたら張りきって、〝ローレライ〟を歌う。音程ははずれているが、楽しそうだ。大正の女学生らしく、〝ローレライ〟のほかは、〝グノーのセレナーデ〟が好き。

〽あわれゆかしき　歌の調べ……

の歌い出しが、殊にはずれて私たちはふき出してしまうが、母はなお歌い止めない。

〽夕べはるかに　胸に聴けば……

私も歌って、何とか恰好《かっこう》をつける。付き添いのSさんに賺《すか》されてやっと寝にいった。

私とミドちゃんと飲んでいて、何の話からか、〈あの世〉の話になった。

ちょっと霊能者の素質のある人が、いつだか、これはぼくの師匠に聞いた話ですが、といって話してくれた。

人は死ぬと、魂は十万億土の彼方《かなた》へ飛んでいくが、そこに深い洞窟《どうくつ》がある。死者はみな、その深い昏《くら》い洞窟のなかにとどめられ、やがて時期がくれば、光明浄土へ放たれる。死者はみな一人ずつである。現世の縁もつながりも消滅する。しかし何万人か何十万人かに一人は、ことさら縁の深かった者の魂がくるのをそこで待っていることもある。……

待ちぼうけ、ということは絶対、ない。

何となれば人は必ず死に、死ねば必ず、その奥深い洞窟へ放たれるのだから。……

〈えーっ、じゃ、あたくしを待ってる人もいるかもしれませんわね〉

どこかウキウキしたミド嬢の声。

私は、といえば、あの淋《さび》しがりの彼が、独りで昏い洞窟で私を待ってるのかと思うと、涙が出てきた。

かわいそう。

そしてふと思った。〈かわいそう〉と思ってくれる人間を持ってるのが、人間の幸福だって。〈愛してる〉より、〈かわいそう〉のほうが、人間の感情の中で、いちばん巨《おお》きく、重く、貴重だ。

そしてまた、思った。この間からの、骸骨《がいこつ》みたいになった彼、うつらうつらしてもう会話もかなわなくなった彼を見ていて、もしこのまま逝っちゃうのなら、もっと話をしてくれればいいのに、と思ったけど、ちょっと前、まだモノがいえた頃、彼はいったではないか。

〈あんたかわいそうや〉

〈ワシはあんたの味方や。それ、いいとうて〉

——彼も、かわいそうや、といってくれたんだ。

ティッシュで洟《はな》をかんでいると、ミド嬢も涙まじりの声で、

〈泣かないで下さいませよ。あたくしも泣きたくなります〉

といいつつ、もう泣いていた。

〈涙が出るのは、女の精神の部品掃除よ〉

と私は、いつか書いた小説の中の一部分を思い出していったら、

〈あ、ほんとですね、そんな感じですわ、心が洗われますもの〉

そこへSさんが困ったように現われ、

〈お母さま、まだ歌ってらっしゃるんですよ。お昼寝を、うんとなさったらしくて、ねむくならないといわれて〉

〈困ったものね、また、〃ローレライ〃？〉

〈――さあ、メロディも歌詞も不明ですわ、ご自分では〃木曽節《きそぶし》〃とおっしゃってますけど〉

私とミドちゃんは笑ってしまった。老母は熱い番茶と、おかき、ひとかけらで、しばらくして寝たようだった。ミドちゃんも帰ってから、私はもう一ぱい、お湯割りのブランディを飲んだ。

〈スヌー。パパはもしかして、ダメかもしれない。……ほかに誰もいないからして、お葬式のこともあーたんが手配しなきゃ、いけない。スヌー、しっかりして、がんばろうね〉

スヌーは垂れ目のまなじりの涙を長い耳で拭《ふ》き、長いバナナノーズの水洟を前掛で拭き、

〈心得ました。何でもいたしまする〉

と時代劇風にいった。パパが〈あんたかわいそうや〉といってくれたのを思い出して、私は心がおちついた。私も、そんなことをいってくれる人がいた、というのは、ありがたいことだと思えるようになった。生きてた甲斐《かい》、夫婦《いっしょ》になった甲斐があった、というもんだ。――それでも万に一つ、快方へ向う、ということもあるし、なあ。……なんて考え、それが甘い楽観だということも知っていた。

十二月二十六日（水）

今年の仕事のラスト、日経新聞の小文を書いてFAXしてから、〈いつものように〉病院へいくが、彼は〈いつものように〉うつらうつらである。

昨日、見舞いにきた義弟が持ってきたという毛糸の帽子をかぶって眠っている。痩《や》せて口辺に巾着皺《きんちゃくじわ》ができている。昼間に来た長女とはまだぼつぼつ話ができたというのだけれど。……私は昨夜もおそくまでゲラを見ていたので、今日の疲労感は尋常ではなかった。そろそろ、私の体も悲鳴をあげかけているのかもしれない。

（ああ、しんど……）

といいたいが、彼が〈ご苦労さん〉といってくれるわけではないし、彼の、「神サン悪人説」に同調している私としては、弱音を吐いたら、〝神サン〟はよけい、せせら笑って一そうえらい目にあわすと思われるので、意地でもいえない。（くそ、〝神サン〟め）と毒付いてやるのが関の山だ。

そしてフト思った。人は往々にして、

（ああ、もう死んだほうがマシや）

と嘆《たん》じたりするが、なるほど、死は安らぎなのだ、ということを発見する。〝神サン〟に、〈ハイ、そこまで〉といわれるのは、〈苦役解放〉であろう。

いまの私なら、〈ハイ、そこまで〉の声がかかると、〈待ってました〉と躍りあがるかもしれない。そして彼自身も〈ハイ、そこまで〉といわれたら、〈やれやれ〉というかもしれない。現世はすべて苦役であろう。嬉《うれ》しいことも得意なことも、順運・幸運、みな一種の苦役かもしれない。しかし、彼といた時間の〝苦役〟の、なんてたのしかったこと。（もう過去形になっている）

あんな、オモロイ苦役はなかったなあ。本人の意見は聞けないが、たぶん、彼は口が利けたらこういうだろう。

(オモロイ苦役、てか、オモロうても、苦役は苦役じゃっ。ワシはおりるわい)

しかし、こうもいうかも、しれない。

(まァしかし、こっちが突っぱってもしょうない、神様《むこう》が、どうでもあと戻りせい、というなら、諾《き》かんわけにもいかんやろうし)

そういう男なんだ。

瓢箪鯰《ひょうたんなまず》、って、こんな奴のことじゃないか。

しかしそれは、私には好もしい性質に思える。彼にはとびきり素直なところがある。

昔、彼は話したことがある。彼の幼時のアダナは、

〈ぼッとッくゎ〉

というのだったと。故郷の奄美の言葉で、「くゎ」は、小さなもの、可憐《かれん》なもの、愛すべきもの、いつくしみたくなるようなもの、につける愛称だという。「ぼッとッ」というのは、ボーとしてる、茫洋《ぼうよう》とした、はたまた、おっとり、というような性向の形容で、つまりは、ぼうとしておっとりしたボクちゃん、

〈ぼッとッくゎ〉

は、彼の両親が、彼につけた愛称だったらしいのだ。彼の兄は慧敏《けいびん》で果敢でさっぱ

りした人で私は好きであったが、（このお兄さんは軍人の道を歩んで、陸軍士官学校から航空士官学校へ進んだが、幸い無事に終戦を迎えて実業家になった）彼の両親は、しっかり、きっぱりしたお兄ちゃんより、〈ぼッとッくゎ〉の彼が、可愛かったようである。

私にはその言葉だけで、彼の幼児時代が髣髴《ほうふつ》とするのだった。だから、彼に奄美ことばを教わるのは好きだった。（尤《もつと》も彼は、お兄さんとも仲よしであった）

（ねえ、また〝ぼッとッくゎ〟の話してよ）

と眠っている彼にいったら、

（もう、し飽いた）

と彼はいう。

（あたしは飽かないよ）

（ワシが、し飽いた、いうとんのじゃっ）

（じゃ、まだ飽かないことを、しゃべってよ。セイコ、愛してるよ、とか、さ）

（あほッ。口に出していえることと、いわれへんこと、あるわい！）

——私は独りでげらげら笑ってしまった。小説家のやくたいもない悪癖で、どんどん空想の会話が拡がる。彼は半分、死のトバ口へさしかかり、すでに死者の面貌《めんぼう》になって意識もないというのに。

付き添いのハヤシさんが洗濯室から戻ってきて、何か、変ったことありました？と心配する。

自宅にいるコドモたちも、いっせいに私に視線を向けたのを感じる。

〈あーたん、しっかりして下さいまし〉

とスヌーは不安そうにいう。ああ、うるさい奴らだ。私の気がおかしくなった、とでも思ったのかしら。

〝別れ〟には絵にかいたような〝別れ〟はないのだ。空想の会話で彼を送る、というのがあってもいいじゃないか。人の臨終、命《めい》、旦夕《たんせき》に及んで、夫が妻に、

（長いことありがとう）

といったり、妻が夫に、

（たのしかったわ、ありがとう、あなた）

なんて心静かに愛をこめて訣別《けつべつ》の言葉を投げあうなんて、いまどき三文小説にもならない。それに私自身、七十まで生きての人生信条は、まいにち、

〈その日その日の出来ごころ〉

　で生きるってことだ。

その上、彼にはずいぶん、やさしくしてやったもんなあ。ふだんやさしくしてる人間は、相手に死なれても泣かないよ。

〈そんなこと、ない。おったんが、あーたんにやさしくしてるほうが大きかった〉

チビめが、泣き泣き、いってるのがきこえる。うっせえ、コドモの口出しする場やないぞ、目ェ嚙《か》んで、鼻嚙んで死んでまえっ、と私は心中、罵詈《ばり》雑言《ぞうごん》、静かに病室を出た。

　タクシーは出払っていた。茄子紺《なすこん》の空、星が街路樹の間にこぼれてみえる。人の死にゆく夜の星は美しい。

「遠き人を北斗の杓《しゃく》で掬《すく》わんか」　橘高薫風《きったかくんぷう》
〈川柳〉を講演するとき、私はいつもこの句を終りちかくに紹介する。美しい川柳だ。

　遠き人になりゆくのかい、キミは。

　そんなことを考えてるとタクシーがきた。

十二月二十九日（土）

午後、病室へつめていたが、彼はずっと眠りつづけ。このまま潮が引くように死ぬのかもしれない。私は来年匆々《そうそう》の仕事も一つ片づけた。たぶん、来月は忙しくなるかもしれないという予感から。

そして思った、こんな省察ができるほど、死までの時間が長かったのは超越者（〝神サン〟より上の存在）の恩寵《おんちょう》かもしれない、と。

いわば死をなしくずしにして、死別の苦を宥《なだ》めることだから。――

突然の、愛する者との死別ほど、悲惨なものがあろうか。私は子供のころ、動転して慟哭《どうこく》する大人を見て、深いショックを受けた体験がある。

昭和九年、私は小学校の一年生だった。「関西風水害」と歴史書にしるされる、風速六十メートルの颱風《たいふう》が大阪地方を直撃した。死者三千人、倒壊家屋数しれず、痛ましいのは小学校の被害だった。私の学校はコンクリートだったので倒壊をまぬかれたが、木造校舎の小学校では、先生・生徒もろとも被害に遭った。学童たちは、教壇の先生のもとにかけより、先生は親鳥のように子供らを両手を拡げて抱きしめ、その姿のまま、倒壊した校舎の下から掘り出されたと報じられ、大阪市民の涙を誘った。そんな先生と生徒の遺骸《いがい》は幾組もあった。——そして、のちに〈教育塔〉が大手前公園に建てられた。

それはともかく、その颱風で最も大きな被害を受けたのは大阪湾沿いの町だった。高潮が襲ったのだ。潮は、「自動車の走るのより早く来た」と目撃者の話。私のうちに当時いた掛人《かかりゅうど》のおばさんの老親二人が、北港《ほっこう》に住んでおり、安否が気づかわれた。私のうちでは若い衆《しゅ》をやって見舞わせたが、一望千里、町はかき消すようになくなっていたとのこと。海鳴りがとどろいたかと思うと、波しぶきが白い煙幕となり、海面がふくらみ、あっという間に大波。すべてを海はさらってゆき、あとは泥の海に点々と二つの棒がつき出ていたのみ、それは逆さまに埋まった人間の足であった、と。

掛人のおばさんは、大声で叫び、〈ワタェも死ぬ、死にたい!〉と口走り、家内一同のほうがうろたえて、水を飲ませたり、背中をさすったり、した。曾祖母《そうそぼ》は泣きながら〈なんまいだ……〉を唱え、母はおばさんを抱きかかえ、一心に慰めていた。しかしおばさんは耳にも入らぬさまで、〈年とったふた親を、むごい目ェにあわせてしもた、〈ワタェも死にたい！〉と絶叫するばかり、わが家のオトナたち、男も女も泣くのだった。

なにせ、このときは四天王寺の塔さえ、倒壊したほどだから。……

あのときのおばさんの惑乱ぶりは、幼女の私の心にも深く彫《え》りつけられた。それに比べたら、何か月もかけて、死に泥《なず》んでいった私の場合は、まだしも幸せかもしれない。

今日、大掃除。年末気分になった。

十二月三十日（日）

彼は今日も眠っている。ずいぶん長く、三年ほど車椅子であちこち連れ歩き、旅行もした。また、誘うといっぺんも、〈行かない〉といったことはなかった。楽しい旅の夢でも見ているといいな。仕事仕舞いで机上の片付け。

十二月三十一日（月）

彼は重病人だけど、ウチには老母もいるので、みんなは手分けしてお正月の用意をしてくれる。お正月のお重も出して、詰めてくれた。鯛《たい》も数の子も。門松も玄関に。私は額の絵を入れ替える。

紅白歌合戦を見たのは、私と老母とミド嬢、それに今夜の当番で、老母の世話をしてくれるSさん。

明日は早く病院へ、と思うが、老母が機嫌よく話すので除夜の鐘までつきあってやっと眠った。八月からのあわただしさ、しみじみ疲れた。私はベッドへよじ登りつつ、

（疲れたよう、オジサン）と彼にいう。

（序の口じゃっ！　これからじゃっ！）

彼は面白がっている。〝こんにゃろ〟、というと彼は笑い、私も笑い、いつか寝入った。

二〇〇二年一月一日（火）

晴れたお正月。お雑煮は私がつくった。ミドちゃんが来てくれて、母と三人で頂く。私は大阪風の白味噌《みそ》雑煮が好きだ。子供の頃から食べ慣れているので、これでなければお正月、という気がしない。もっとも、白味噌は最上等のもの、そしてお餅《もち》は別《べつ》鍋《なべ》に湯を張ってすこし炊き、とろりと柔くしておくのである。お雑煮というもの、それこそ、さまざまのお国ぶりがあるが、結婚以来、私が正月に作ったら、案外、彼も子供たちも好んで、三十なん年、大阪風になった。私の生家は若い人の多い大所帯だったので、牛肉をあしらう白味噌雑煮であった。これも極上の肉を使う。まったりしてコクのあるお雑煮になり、子供たちは喜んだものだった。……

お雑煮をいただく席での話題ではないから私は黙っていたけれど、去年のお正月もその前も、彼の介護で悲惨だった。人手のない時なのですべて私の肩に掛ってくる。足が充分に動かない彼は、ポータブルトイレがすぐそばにあるのだが、間に合わず、結果的に、ベッドに敷いた大タオル、身につけている衣類、ことごとく洗うことになってしまう。去年の一月一日は、深夜に洗濯機を廻《まわ》すこと二回、明け方一回の仕儀とはなった。（介護というのはこんなものだけど）

その前年の元日の夜は、夜の十時半という時間に、ミドちゃんを電話で呼ぶ始末、ミドちゃんは快くかけつけてくれ、〈漏れないパンツ〉を彼にはかせ、パッドでぱんぱんにして、〈これで大丈夫ですわ〉と私にいって帰った。

しかし白内障の手術の直後ですら、眼帯が〈わずらわしい〉とむしり取ってしまう彼のこと、たちまち、ミドちゃん苦心の装着もはずしてしまう。

二年続いての惨澹《さんたん》たる正月で、私はクタクタになり、去年の一月一日の夜は、

(何が二十一世紀やねん！)

とぼやくより、ほかのことぞなき、というありさま。それに去年は二日が雨だった。洗濯ものが多くて乾かしきれず、風呂場《ふろば》へ吊《つ》ったり、取り入れたり。妹一家と弟一家が来、母は喜んでいたが、一同帰ると、私は疲労困憊《こんぱい》してしまった。わが家では毎年、一月四日が初出《はつで》、という慣例なので、それまで私一人で、老母と彼を見なければいけない。——ミドちゃんや妹は、いつでも呼んで、といってくれるけれど。

今年は、彼がいないので、物忘れしたように静か、彼は死病の床にある。……もはや、彼も解放され、私も解放されたい、と思うに至った。ただ、彼の好んだお雑煮をもう一度、食べさせてやりたかった。——

病院は休日で閑散としていた。いまの彼は周りに顧慮する気は、（もう擦りきれてしまった……）

というように、傲然《ごうぜん》というさまで寝ている。

孤影傲然というところ。たいてい、孤影とくると、〈……悄然《しょうぜん》〉とつくのだけど。

お正月からついていてくれるU夫人にお年玉、（恒例なので）形ばかりあげる。

一月三日（木）
彼は今日もうつらうつらと眠るのみ。今日はU夫人に暖い御飯や焼きたてのお魚を持っていってあげた。私は風邪気味。手をにぎってやるぐらいしか、できない。彼の咽喉《のど》がゼロゼロと鳴り、U夫人はいそぎ看護師さんを呼びにいく。痰《たん》を取ってもらうと少し楽になったらしく、うとうとしている。

一月六日（日）

私の風邪がひどくなって、二日、病院へいけず、今日やっといってみると彼はびっくりするくらい憔悴《しょうすい》していた。なまじまだ少しばかりの体力があるため、苦しいらしく、ハアハアと息を吐く。目はともするとつむられる。左の目にうすい涙がたまり（生理的現象らしい）右目は閉じたまま。体内で壮絶な死闘がくり返されているらしい。可哀そうだが、どうしてやりようもなく、誰かれを代りばんこに食事にゆかせたが、私は食べる気もおこらなかった。ミドちゃんもベッドの反対側にいてくれる。

弟たちが、〈これからが大変、食べといたほうがいいから〉と呼びにくる。いきつけの〈すし善〉さんに、母や妹一家がいる、というので、ミドちゃんといく。いつもは心おどる〈すし善〉さんの店だけれど、さすがに、何を口にしても、うわの空。

（あたしって、こんなしおらしい女だったのか）

と自分で思ってしまう。灯《あかり》の明るい店内、硝子《ガラス》戸棚の中の美しいネタを見て、あれこれ注文したり、陽気な兄ちゃんのコタニさんと冗談を交したり、このお店は大好きなのだけれど、さすがに弾まない。私は元来、友人たちから、〈どっか、釘《くぎ》が一本、抜けてるおせい〉といわれ、悲しいときもあさっての方を見ていたり、くやしいとき、怒るべきときも、あまりコタエていない、――という性向であると指摘され、自分でも合点しているのだが、さすがに今夜はしょげてる、と自覚した。

——死にかけの　男持つ身は　しおらしや

……香ばしいお酢の匂いの中、そんなコトバがとりとめもなく心に浮游《ふゆう》する。

一月七日（月）

大いそぎで仕事、（少年少女向きの〃百人一首〃。私は少年少女に〃百人一首〃をおぼえてほしい、とかねて思っているので、この仕事を頼まれたとき、即座に引き受けた。刊行の時期の関係上、執筆をせかされていたが、彼の入院騒ぎで、おくれにおくれている）病院へかけつけると、U夫人と看護師さんが何だかただならぬさまで、U夫人は彼の背を叩《たた》いたり、胸を撫《さす》ったりしていた。無呼吸状態になったという。私の父は四十四の若さで死んで、それはもう五十年前になるが、父の死にぎわの時と同じだ、と思った。父の死期のありさまも苦しそうで、〈あー〉〈あー〉と呻吟《しんぎん》するのみ、彼も全く同じ、手をばたんばたんと上下し、私の首へかけ、肩へかけ、ベッドの柵《さく》や手すりをつかもうとする。〈しんどいねえ、しんどいねえ……〉と私は彼にいう。その言葉も、母が父にいっていた言葉といっしょだと発見する。半眼にみひらいた目はもう、この世を見ていない。遥《はる》かな遠い洞窟《どうくつ》を望んでいるみたい。「静かにぞねむらせ給へ人間の　いのち死にゆく時の終りに」——というのは誰の歌だったかしら、人間は静かに眠れないようにできているのだ。

医師《せんせい》に呼ばれて、階下の医局へいく。レントゲン写真がある。

右頬にできた腫瘍《しゅよう》が、いまは転移して、……私ははっきり聞えていなかった気がする。ミドちゃんがしっかり受けこたえしていた。

私は、三月ごろでしょうか、と呟《つぶや》いた。三月は私、生きて帰れるだろうか、というぐらい、凄《すご》い仕事量のはずなので。

〈とてもとても三月まで保《も》ちません〉

先生のお言葉は明快だった。

〈今月のうち……か、と思われます〉

〈わかりました〉

これは私ではなく、ミドちゃんがいった。

一度、家へ帰り、電話をあちこちへかけ、九時に病室へ戻る。長女一家、長男一家がかけつける。危篤状態といっていい。

彼は息苦しそうで、かわいそうに口中も乾いていた。みんなが私をかばって、少し家で寝てきたら……という。長女のユウコと長男のコウイチに任せ、十二時に、私は家へ戻った。緊迫した病室から帰ってみると、平安で静穏で、もののたたずまいの、何一つ変ったことのないわが家の、のどけさが別世界のようだった。

〈あーたん〉

とチビはじめ、みんながべそをかいてまわりに寄ってくる。それだけが、いつもと違う感じ。スヌーが取りまとめて寝させる。それぞれのねぐらから、いつまでも心配げな、ひそひそ話はやまなかった。

〈パパが死んじゃう〉

と思ったとき、私は『平家物語』の、木曽義仲《きそよしなか》と、少年の時からの盟友、今井の四郎の話を思い浮べた。主君にして親友の義仲のために、奮迅《ふんじん》の働きをする四郎。味方は討たれ、最後に主従二騎のみ、そして義仲もついに敵に討たれる。

奮戦のただ中、その勝ち名乗りを聞く四郎。

「今は誰をか、かばはむとてか、いくさをもすべき」

今は誰をかばおうとて、戦うのだ。……そして壮絶な自害をとげる。夫婦《ふたり》で生きる、ということは、背中合せになって乱戦の中を戦いぬくことだ、と、私は昔、ある小説の中で書いたことがある。

その片方が死んだとき、「今は誰をか、かばはむとてか、いくさをもすべき」といって自害できるのは、男同士だからだろう。かばう相手が死んでも、女は生きなければならない。女は、今井の四郎にはなれないようにできてるのだ。

一月八日（火）

ミドちゃんと、葬儀の手はずをきめる。葬儀社がすぐ来てくれて、てきぱきといろんなことがきまってゆく。キタノさんがちょうど来て下さったので、いろんな相談。

〈マスコミ関係から問い合わせがあるはずやから、そちらの手配はぼくが、〉とキタノさんは、ほんとに頼り甲斐《がい》ある兄貴分だった。

M君や、いろんな男友達が、〈いうてや、用事。何でもするデ〉と、電話やら、病室への伝言。中でもM君は彼の可愛がった子で長いつきあいゆえ、辛《つら》そうだった。彼はまだ保《も》ってる。

一月九日(水)

葬儀社と打ち合わせ。彼は瞼《まぶた》の上にガーゼ、点滴、酸素マスクをつけられて喘《あえ》いでいる。右手は腫《は》れぼったいが脈搏《みゃくはく》は力強い。しかし、もはや顔に生気はない。私は彼のそばにいて、手を握ってやれるだけ。瞼のガーゼがはずれたので、もとへ戻そうとすると、瞳《ひとみ》が動いた。見えるのかしら。

私はすこし、あたまが茫《ぼう》としていたのか、病室にいつの間にか、ぎっしり義妹や次女がつめているのに、やっと気付き、〈ミッコちゃん、家が遠いんやから、早く帰んなさいよ〉などといっていた。

〈お父さん、聞えてる? ユウコです。みな、ここにいるよ〉と長女。涙ぐんでいる子はいるが、すすり泣きなんかは聞えない。

(パパ。ハッピーエンドじゃない? これって)

と私は彼に胸の中でいう。仔犬《こいぬ》の群れみたいだったチビちゃんたちが、みな中年になり、それぞれの子をひき連れて集ってくる。（しかも、あたしみたいなステキな女といっしょになってさ）（うっせえ！）と彼がいいそうだ。

一月十日（木）

日経と朝日一本ずつ出す。朝日新聞は夕刊連載の「ゆくも帰るも浪花《なにわ》の夕凪《ゆうなぎ》」、これは夕刊の「ほがらか欄」だから、文字通り、たのしい読みものでなくてはならない。でも私は、書いている最中は別人格になるので、結構、たのしく筆はすすむ。

今日、文藝春秋のヒワちゃんに電話して、カモカシリーズの文庫本、（どの巻でもいいからといって）三百冊、送ってもらうように手配。葬儀はもちろん仏式だけれど、供花・香奠《こうでん》、一切ご辞退、それよりむしろ、こちらから葬儀に参列して下さった方に、夫《おっちゃん》の形見、というか記念をさしあげたい、それには〈カモカのおっちゃん〉のイラストがふんだんに溢《あふ》れているカモカシリーズの文庫本が最適、と、私は思いついたのだ。このアイデアは弟もミドちゃんも賛成してくれた。東京のヒワちゃんは、電話

でも現場の緊迫感が伝わったらしく、(といって私はべつに取り乱してなくて、事務的に頼んだつもりだけれど)緊張した声音で、

〈わかりました。綺麗《きれい》な本を選《よ》って揃えて、スグ、お送りします〉

と受け合ってくれた。手筈《てはず》をきめたり、指図したりの〝仕事〟があるのは、こういうとき、ありがたい。

弔辞は藤本義一さんに、依頼した。古い馴染《なじ》みだし。……尤《もっと》もギイッちゃんはとても多忙な人なので、もしXデイに大阪に居なければ誰かが代読、ということも電話でいう。

〈よし、わかった〉

と、藤本さんの簡潔で力強い返事。

持つべきは旧《ふる》い友、

〈ありがとう。お願いね。いつも頼りにしてごめんなさい〉

病院から呼ばれ、夕方いく。意識はない。一層骸骨《がいこつ》のようだった。一両日中と思われ、ずっと病院へ詰めるつもりで、荷物を取りに帰ったら、またすぐ電話。午前二時にタクシーを呼んでいく。

一月十二日（土）

U夫人とハヤシさん、二人を頼んでよかった。交代で〈家族控室〉（ちょうど病室の近くに、畳敷の部屋と、ソファを置いた洋室がある）で休みつつ、看護してくれる。伊丹シティホテルにも、私は一室とっておいた。義弟のカズオさんは家が遠いので、そこに泊ってもらったが、今朝早く帰った。自分の外科病院にも危篤の患者を抱えているので、と、憔悴《しょうすい》した顔でエレベーターを待つ間、私に話す。

〈兄貴の臨終に会えなくてもしょうがない、と思《おも》てます〉

〈そうね、よく来てくれたわね、長いこと詰めて下さって。パパも喜んでるわよ〉

〈タナベサンも体に気をつけて〉

彼は私を〈タナベサン〉と呼び、私は〈カズオさん〉といって何十年。それでなんの不都合もなく、いがみ合いもせず、来ている。時にカズオさんのおくさんも加え、パパと四人、家で宴会をして盛りあがり、パパはよく飲み、よく笑いカラオケで唄った。その唄声の聞えそうな、楽しい写真がいままでの人生でたくさん溜《たま》った。そんな間柄だ。

病室は人、人、人、……で埋まっている。長女一家と長男夫婦、九州の次男・チュウも来た。見上げるような大男で分別くさい顔になっている。昏睡《こんすい》中のパパをのぞきこんで、私は、

〈喜ぶのにね、チュウの顔見たら〉

〈以前《まえ》に来たとき会って、話もしたから、ええよ〉

とチュウはあんがい、おちついた声だった。

酸素マスクをつけられ、体にいろんなチューブを装着されている彼の、額の汗を拭《ぬぐ》ったり、枕の状態を按配《あんばい》してくれているのは、長女と長男の嫁で、働きざかり、分別ざかりの女たちだ。四十歳代の年頃の息子・娘、その連れ合いたちの頼もしいこと。それこそ、私たちが風雪の歳月を生き延び、老いてきた〈生けるしるしあり〉というものだ。バトンタッチできる次の世代がそばにいてくれて、もうこれで心おきなく、

〈あたしたちも去っていけるってもんやわ〉

などと彼にしゃべっているうち、私はウトウトした。みんなは、〈家族控室〉で寝たほうがいい、とすすめる。でも私は、病室を離れるのは心もとない気がする。そん

なら、と、長男と次男がふたりで病室の隅に椅子を二つ寄せ、即席ベッドを作ってくれた。毛布を拡げてくれたり、枕代りのクッションを置いてくれたり。

――（昔、学校の先生からの電話で、私は男の子をつかまえて叱っていた。今日、中間試験なのに、なんで学校休んだの！　だの、お弁当代のお釣り、ちゃんと返さなきゃダメ！　なんて金切り声で叱ってた男の子らが、いま私のベッドを作ってくれて、〈セイコおばちゃん、寝なよ〉といってくれる、――ねえ、パパ、こんな世の中になったんだ……）

彼に話してると、涙が出たが、それは悲しいせいでなく、くすくす笑いのかわりに出る涙だった。

一月十五日（火）

十四日、一日保った。臨終は十四日深夜、十一時三十六分。たちまち看護師さんたちが、さまざまのキカイを取り払う。かねて葬儀社にいわれた通り、自宅リビングの庭に面した場所をあけてあったので、遺骸《いがい》はそこへ戻される。

人手が多いので病室の整理もあっという間だったらしい。お坊さんの枕経、明夜は山手会館で通夜。身内はそれに備えてひとまず、家へ帰った。あんまり、てきぱきと流れ作業で運ぶので、感傷や哀感や慟哭《どうこく》の出るヒマもなかった。

ふと気付くと、遺骸のそばに、私とミド嬢だけ。

〈あら、いてくれたの?〉

〈よくおっしゃいますこと。皆、疲れてるでしょうから、ひとまず帰って。明日の通夜、明後日のお葬式と、たいへんだからって、おっしゃったではありませんか。だからあたくし、ご家族といっしょに、ひとまず帰ったら、電話なさって、〃アンタ、なんでここにいないのッ!〃とお叱りでしたから、いそいでかけつけましたのよ……〉

〈へーえ。そんなこと、いいましたっけ?〉

〈あたくしだってクタクタですけど、大《おお》先生(パパのことだ)もお気の毒ですし、先生も気になって〉

〈ソレハソレハ〉

おぼえてなかった、この私としたことが。

でも、彼女がいてくれてよかった。老母の部屋でも、U夫人たちが代る代る眠ってるらしい。

花と蠟燭《ろうそく》、線香の匂い、彼の顔は肉こそ落ちているものの、とても綺麗《きれい》ですべすべしていた。いかにも浮世の苦を脱し、安堵《あんど》したみたい。

（いやー、エラかったぜい）

とでもいいそうだ。

私は、どッか、壊れているのかもしれない。悲しいとか、うつろ、という気もなく、ただミド嬢が泣きながら彼に話しかけるように、

〈あんなに帰りたがっていらしたおうちですわ、大先生。やっとお帰りになれて、よろしゅうございましたこと〉

というのに釣られて、すこし涙が出たが、それは〈釣られ涙〉というものだった。コトバによる連想や思念は、実際の感情をはなれて、かるがると翔《と》んでいきやすいらしい。

スヌーたちもぼんやりしている。いちばん利かん気の、しっかりしてるはずのチビが、いつまでも泣いてうるさかった。スヌーは少し哲学的瞑想《めいそう》にふけっていて、ぽつん、といった。

〈あーたん。おったんはこのまま、どっかへいっちゃうの?〉

〈そ〉

〈誰がきめたの、そんなこと。一人二人ぐらいは、戻ってくる人もいるんじゃないの?〉

〈いない。神さまがそう、きめた、っていうより、生きてるモノはそういう、生れつきなの〉

そして私は思い出した。もう二十五年も前、私は『スヌー物語』を書いた。(とすると、私はうちの長男スヌーと、もう二十五年、同居してることになる)そこではスヌーが人の生れつきについて思いを到して、歌うことになっている。〈生れつきをかえようたって/神さまさえも出来やしない/ああ　生れつき　生れつき/誰がきめたか　生れつき〉……

電話が鳴る。夜は白みかかっている。遠くの親戚《しんせき》たちに報《しら》せがとどいたらしい。

今日は十五日。朝から人が来てくれる。出勤前に寄る友人ら、〈今夜の通夜の手伝いの打ち合わせもあるから、今日は早退けするよって、〉なんて。直接、山手会館(葬儀場)へいく、と。

電話とFAX繁し。弔電くる。

山手会館へ向う。タクシーの手配は男たちがやっている。

印刷物の手配、新聞社からの連絡。彼の略歴などはキタノさんが引き受けて下さっているからたすかる。

喪主は私なので、喪主挨拶《あいさつ》というものをしなくてはいけない。〈通夜ご挨拶〉や〈ご会葬御礼〉は、これは葬儀社の印刷物があり、葬祭産業はしごく機能的に運営され、遺族にとっては便利だ。

湯灌《ゆかん》・納棺、彼の愛用していた冬の黒のコーデュロイの上衣《うわぎ》も入れた。緊張しているからか、私は泣けない。きれいなお顔、といって女たちは泣き、男たちはたまらず外へ出る奴《の》もいる。

（楽になったぜい。アンタも早よこんかい）

といわんばかりの彼の顔をみていると、

（うーむ、だろうなあ。けどもうちょっと待てよ）

と思うばかり。そんなときはちっとも泣けないが、通夜の室へ納め、お棺の蓋《ふた》があけられて、花で埋まった彼の顔を見てると、ずっとずっと遠い昔、私がやっと売り出

しかけたころのことを思い出す。彼は近所のお医者さん仲間の集まりに出たとき、心おきない仲間たちに、

〈カワノ先生《せんせ》、奥さん儲《もう》けはったら、いよいよ男のあこがれの生活が待ってまっしゃないか〉

と親愛こめてからかわれ、

〈ヒモかい。ぼくはヒモ、ちゅう、可愛《かい》らしもんやないデ。ま、ワイヤーロープやろな〉

といって一座を爆笑させた、と嬉《うれ》しそうにいっていた。ゴルフ仲間、酒のみ仲間の、いいお友達で。あのころの日々、彼は楽しそうだったっけ。……すると涙が出てきた。

しかし涙はすぐひっこむ。東京から続々、出版社の編集者たち、社長さんらまで顔を見せて下さる。喪服に数珠《じゅず》を手首に巻き、走り廻《まわ》ってる私。六時、通夜の受付がはじまる。

女性編集者らも次々に。ムラタちゃんはお棺にとりすがって泣いてくれた。おっちゃんの可愛がった女性編集者の一人だった。……

一月二十日（日）

今日、初七日だが、もう法要は葬式のときに併せてすんでいる。近来はどこでも、そのようになさるよしである。

十五日が通夜、十六日葬式、日記なんて書いているひまはなかった。自宅と公益社の西宮山手会館《にしのみや》、あとはタクシー、そして通夜や葬式に来て下さった方々へ挨拶、ばかりで埋めつくされた時間。

十五日の新聞に死亡記事が出たので、どっと弔電がとどく。二百八十通あまり。なつかしい名もあった。彼と共通の古馴染《ふるなじ》みの名もあって、私はまたぞろ、

（パパ、見て見て。〇〇ちゃんから来た！）

といいたくなり、怱忙《そうぼう》の最中に笑いたくなった。笑う、といえば、葬儀社との打ち合わせで、あわただしくきめないといけないことがあった。尤《もっと》も葬儀のスタイルや飾りつけのクラス、そして式の間じゅう流すBGM（これは小学唱歌の、「朧月夜《おぼろづきよ》」「故郷」「冬景色」の三曲をメドレーで）、などはかねて指定してあったが、祭壇に飾る写真がまだだった。

私は、あるパーティに際し、彼が文字通り〈呵呵《かか》大笑〉している写真を択《えら》んだ。東京の編集者たちを自宅に招いてのパーティだ。料理はホテルに頼むので、ちょっと見は、大げさなようだけど、毎年のことだし、気心も知れているボーイさんたちが物慣れて用意してくれる。庭で肉を炙《あぶ》ったりして、家庭的でいい会だった。しかしそのパーティの特色は、料理よりも途中で参加者たちの寸劇があったり、仮装大会になったりという愉快な趣向にある。

パーティの始まる前、私はいろんな小道具を彼に見せ、これは誰それさん用、これは誰、

〈これは○○さんにしてもらおと思うねん〉

なんて私がいうと、○○さんとそのアイデアの奇抜な取り合せに彼は思わず取りはずして笑ってしまった。そのとき撮られた写真である。○○氏の謹厳な性格と典雅な風貌《ふうぼう》からすると、大向うの受けはたしかだが、果して○○さんがOKしてくれるかどうか……というたのしい不安はあったが。(実際には○○氏は喜んで引き受けてくれ、一同を大笑いさせてくれたのだった)

彼はその〈呵呵大笑〉のおかげで、そのときの歓会の愉悦のみならず、人生そのも

の愉悦を、あとへ残る写真にとどめ得た。

自分が笑うのも、人が笑うのを見るのも好きな男だった。いちばん小さなミッコに、お父ちゃんの好きなのは〈笑い声〉と教えた彼。

人生は笑うに価する、とでもいうように。（しかしその笑いは嘲笑《ちようしよう》や、憫笑《びんしよう》ではない、優越感からでもなく、苦笑、冷笑でもないのはむろんである）

赤と黒の格子のシャツ、青いセーター、という、アメリカの若者ふうのいでたち。彼は年相応の恰好《かつこう》が似合わない男で、ヨーロッパ紳士よりも、アメリカ青年系でキメたほうがぴったりだった。（着るものはみな、私が見たてている）老来、いよいよ寛《かん》闊《かつ》な身なりを好むようになり、ネクタイなどは洋服箪笥《だんす》にぶら下ったまま、無用の長物となりはてた。身辺に凝らないタチの上、仕事もやめてからは、腕時計・ライターなど、ブランド品であれ何であれ、欲しがる人にみな与えてしまう。

そんな彼には、人生のしめくくりに、格子縞《じま》のシャツ（咽喉《のど》もとのボタンなんか、むろんはずしている）と、空色のセーター、なんて軽装がぴったりだ。

五分刈りみたいな短髪、太い眉《まゆ》、ふだんは団栗眼《どんぐりまなこ》が、大笑いしているので細められている。口が大きく開いて、血色のいい舌も見え、上下の白い歯と、いい配色。

こんな写真を葬式の祭壇に飾るなんて。でも彼はむろん、私も〝世外人〟だからいいか。世捨て人《びと》ではなく、世間のきまりの外で生きてるもんな。ミド嬢も、弟も、この〈呵呵大笑〉写真に賛成してくれた。〈義兄《にい》さんらしいや〉と弟もいう。

通夜に東京から、出版社の重役さんがたが見え、恐縮した。ことに文藝春秋さんは社長さん以下大勢でみえた。〈明日の十六日は芥川賞・直木賞の選考会なので申しわけありませんが、お葬式に参れません、せめてお通夜に、と――〉とのねんごろなご挨拶、私こそ、直木賞選考委員の一人なのに、欠席になってしまって、とお詫《わ》びするやら、べつの社では、川上弘美さんとの対談が流れたお詫びやら、仕事がらみの話も出て、忙しい。

通夜は七時に終り、二階で身内一同、食事を摂る。宿泊施設になっているので、遠方のチュウやミッコは泊るという。子供の頃、いつも空腹を訴えていたチュウのイメージが強く、私はつい、四十男の彼に、〈おなかが空いたら、ここにお握りがあるわよ〉なんていってしまう。

明日もあるから、と皆にいわれ、とりあえず帰宅。老母についていてくれるTさんが、玄関を開けてくれ、〈お疲れさまですね。おばあちゃまはもうお寝《やす》みです〉――老母は疲れを案じて葬式に出席させないつもり。彼の訃報《ふほう》が載った新聞など見ているうち、

(そうだ、喪主挨拶をしなきゃいけなかったんだ)

と思い出した。葬儀社の人に、どの位の時間、しゃべるのですか、と聞くと、まあ二十分位までですね、と。そりゃ長広舌だ。椅子席が足りなくて起《た》ってる人もいるだろうし、短い方がいい。まあ、何にせよ、〈呵呵大笑〉の写真を掲げる以上は、彼の懐抱する人生観ぐらいはしゃべらないと。――とはいっても同業の医師《せんせい》や学友たちも来て下さるかもしれないから、あまりおふざけが過ぎては〈物書きはあんなもんか〉と思われ、〝日本文藝家協会〟の品位を汚す、というものである。

(何を話すかなあ、おっちゃん)

と私は西宮の葬儀場に置いてきた棺《ひつぎ》の中の彼にいう。

(コラー。ちゃんと笑いとれよーっ。ワシの葬式じゃっ。笑うてナンボ、ちゅう奴よ。笑わしたらんかい)と彼。

――笑わしたらんかい、というのは、笑わせてやれの命令形を、大阪弁風におちょ

くったものである。私は言い返す。

(死者《しんだもん》がナニいうとんねん、ボケナス!)

(うらやましかったら、早《は》よ、来《こ》んかい)

私たちの会話を聞いて、チビたちが騒ぎはじめた。

〈えっ、おったんのいるところへいけるの? あっち〈〉彼岸《あっち》へは、いこうと思っていけるもんじゃないけど、もし行けば会えるかもしれない、と私は子どもたちにいって聞かせる。ただし会っても、どっちも気づかないかもしれないけど。

〈大変だ。おったんが見まちがえないように、目印をしとかなきゃ。ぼく、右の前肢《まえあし》に、赤いリボン結んどく〉とおしゃれのアマ。私はいろんな色のリボンを、彼ら彼女らの前肢後肢に括《くく》らせられる羽目に。……それで思い出した。私はいつか、彼に唄って聞かせたことがある。〈幼な馴染の 思い出は……のふし廻しで、〈セイコ・作詞〉とことわって、

〽いつかは わたしも死ぬだろう
だから 喧嘩《けんか》はしたくない

あの世で会った　そのときに
やァやァ　こんちは、いうために。

〈――てんだ、面白い？　パパ〉

〈偽善じゃっ！〉と彼はひとこと。

〈偽善？〉

〈いやな奴とは、あの世でも会いとないわい！　あの世でまでおべんちゃら、いうてられるか！〉――笑ってしまった、私。……

ベッドで思い出したのは一茶の句だった。

「露ちるや　むさいこの世に用なしと」

まるでおっちゃんの心境じゃないか。

「生きのこり生きのこりたる寒さかな」

これは私のことをいったみたいな一茶の句である。そして私の句は、これはまえに、司馬遼太郎さんに捧《ささ》げた句。

「男みな　なに死に急ぐ菜の花忌」

一月十六日。幸い、晴れの葬式日和となった。

各出版社の方、近所の友人たちが手分けして受付などの仕事を分担して下さる。弟や息子たち、中老年の一族の男たちがいるので、私はじっと喪主席に坐《すわ》っているだけでいい。自分主催でいながらこんなに楽なセレモニーははじめてだ。弔電をたくさん頂いたのだが作家の弔電数通のみ代表で読ませて頂くことになった。ベテランの係りの方のお声はよく透るのだった。

「人生の並木道を思い出します。ご冥福《めいふく》をお祈り申しあげます」は津本陽さん。津本さんは彼とも古い友人で、飲むと彼はよく、〽泣くな妹よ　妹よ泣くな……を歌ったから。

「訃報に接し、悲しみの気持でいっぱいです。お二人からは、本当の夫婦愛を教えていただきました。ご冥福を心からお祈り申しあげます」林真理子さん。

「カモカのおっちゃん、シーユーアゲイン」

は、宮本輝さん。輝さんともよく飲んだ。

「突然の訃報に接し、言葉もありません。以前金沢へお越しになって、ご一緒に食事をした時のことを夢の様に懐かしく思い出します。倶会一処《くえいっしょ》、共に浄土にまみえん」は五木寛之さん。

「肩を並べて三人で新地を歩いた日を偲《しの》び、心よりご冥福をお祈り申しあげます」黒岩重吾さん。

「おっちゃんに匂いおこせよ梅の花
　梅の花散りても残る匂いかな」
　は、寒川猫持《ねこもち》さん。

「御良人様のご逝去を悼み、謹んでお悔やみ申し上げます。日頃より素晴らしいお二人と羨《うらや》んでおりました。さぞかし、お力落しのことでしょう。充分にご自愛下さいますよう、お祈りいたしております」阿刀田高さん。

　神戸の友人らを代表して、〈ノコ〉こと、小山乃里子さんのは、

「カモカのおっちゃん、長いこと遊んでもろて、おおきに。あなたの頑固さ、優しさ、豪快さ、忘れません。あの世とやらで、また、カモカ連で踊りましょう。心からの感謝とお悔やみをこめて」

それから、実はこれを一ばん先に読んでもらったのだが、(なぜって、おっちゃんを悼むついでに、私のこともほめてくれてるから)もと集英社でお世話になった池孝《たか》晃《あき》さん。

「今、川野先生の訃報に接し、深い悲しみに沈んでいます。先生(田辺注。私のことだ)のことを思うと、痛々しく、胸がふたがります。私にも、川野先生との懐かしい思い出がいちどきにあふれてきて涙がとまらなくなりました。先生ほどの女性を(私、私だ)包みこむ悠然とした男の中の男の存在を知り、目を見張るようでした。川野先生のやすらかなご冥福を心よりお祈り申し上げます」

壇上の写真のおっちゃんは白い花に囲まれ、〈呵呵大笑〉している。

藤本義一さんの弔辞はしめやかに真情こもり、それでいて〈はじめて聞く話〉が楽しくて、すてきなものだった。

水色のセーターに、大口あけて笑うおっちゃんはすでに〈釈誓願〉という法名を与えられているが、藤本さんは封筒から原稿用紙の束をぬき出し、ひびきのいいお声で、静かに読まれる。

「　弔辞

カモカのおっちゃん。いつもの通り、カモカのおっちゃんと呼ぶことをご寛恕《かんじょ》下さい。

まさか、カモカのおっちゃんの弔辞を読むとは思ってもいませんでした。カモカのおっちゃんの豪快さは不変のものだと信じていました。南国の南風から生れた剛毅《ごうき》なおっちゃんの気風は、常にその言葉の端々にありました。……」

藤本さんは、おっちゃんと会ったのは昭和四十三年か四年だったといわれる。神戸のパーティ会場で〈川野やが〉と凄《すご》み、鋭い目つきでにらみつけ、〈あんただけやで。うちの妻に向って、オセイさんと気安う呼ぶのは。ほかの人はそういわへん〉

藤本さんは腹を立てて言い返す。

〈いけまへんか。あんたよりもずっと前からオセイさん知ってましたんやデ。十年ほど前から知ってたんですがな〉

するとおっちゃんは急に凄みの消えた顔になり、濃い眉《まゆ》がさがって、照れた顔になり、

〈あ、そういうこっちゃなあ、ほな、ま、文句はいえんわな〉

と頭を掻《か》き、恐縮に身を縮めて、大きな頭を下げた。豪快の中の繊細さを感じとら

れた藤本さんが、〈なんや恨んではりますのか〉というと、〈今の今まで恨んでたけども帳消しにしよや〉、ぼそぼそとおっちゃんはいった、とのこと。

「この時、この巨漢は相当、妻に惚《ほ》れていると思ったものです」

藤本さんの弔辞は淡々と軽快につづく。

藤本さんが直木賞を受賞されたとき、神戸から西宮は近いので、私たちは車を飛ばしてすぐお祝いにかけつけたが、そのときのおっちゃんの言。

〈どんな気分ですねん。長年の便秘が解消したような感じやろな〉

「豪快に笑い、コップ酒を飲み干されたものです」

(今まで水を打ったように森厳な葬儀場が――二百四、五十人の方々が参列して下さっていたのだが――このへんから、何だかクスクス笑いの洩《も》れそうな暖かな空気になり、和やかに明るくなってきた)

あるとき東京の会場で会ったら、おっちゃんはもう車椅子だったが、たまたまそばに「聖子夫人」がいなかった。

「あなたは急に私の腕を引き、『物書いて生きていく、ちゅうのは、併《しか》し、ま、辛《つら》いことでっしゃろ、違いますか』という言葉を口にされました」

藤本さんはどう答えていいか迷っていられると、〈な、そうでっしゃろ、見てもわかるわ〉とおっちゃんはいったという。

そこで藤本さん、

「ま、そら、色々と難儀なこともありますが、誰も助けてくれるわけでもない仕事やし」

おっちゃんは、〈そうやと思う〉——そこへ私が戻ってきたので、〈おい、帰るか、もう！〉と大声で叫んだ、と。

「巨体に照れを満積したダンプカーのカモカのおっちゃん。誰もが思い出を抱いて見送るのが今日なのです。

平成十四年一月十六日　　藤本義一」

私は心を動かされた。

彼が、私の仕事のことを、そんな風に見ていた、なんて、思いもしなかった。私もまた、〃自分が好きでやってる苦労〃と思うから、愚痴や弱音は一切、吐かず、彼にも見せてないつもりだったけど。……

それで「喪主挨拶《あいさつ》」で私はまず、藤本さんの弔辞で、彼にも優しいところがあったのだなあとしみじみ思いました、と藤本さんにお礼をいった。

〈祭壇の彼も大笑いしているので、こんな席ですが、おかしければお笑い下さい〉

とあらかじめいっておいた。新聞記事にはカモカのおっちゃん死去、と出たので、まずカモカの説明、挿絵の高橋孟《もう》さんが、モデルがないと描きにくい、とのことで手近にいた飲み友達のおっちゃんを拉《らっ》して描かれ、それで私の「週刊文春」連載エッセー〈カモカのおっちゃん〉が、即、そのまま、川野純夫がモデルと思われてしまったいきさつ、彼のおおどかな、明るい性格は奄美生れのせいかもという話。——彼の先妻で作家の川野彰子さんとの短いつきあい、など話した。私が昭和三年生れ、彼は大正十三年、同時代の嵐をかいくぐって来た戦友なので、話題は尽きなかったこと。……

〈いっそ、結婚しよう、そのほうがおしゃべりしやすい、という話になりました〉

（笑）

〈しかし彼は四人の子持ち男、私は小説書き、家事と小説、どっちも中途半端になっ

てしまうわ、といいましたら、川野のいわく、「中途半端と中途半端が二つ寄ったら満タンになるやないか」〉（笑）

嵐の日々だったけれど、時がたてば子供は独立して家を出てゆく。家事は少し楽になったが、私の仕事はいよいよ忙しくなり、食事を作ることもできなくなった。〈パパごめんなさい、駅前のおすし屋さんで食べてきて〉というような次第。川野はそんなとき怒る男ではないので、素直に出かけてゆく。

〈機嫌よく帰ってきて、「いやあ、あそこのトロは旨《うま》いなあ」なんていいながら楊子《ようじ》を使いつつ寝室へ入ってぐっすり眠ってしまう。（笑）

せっせと書いている私に、せめて巻ずしの一本でも持って帰ってくれるのかと思いましたが、それは全く気がつかない。（笑）〉

――でもおっちゃんも私と一緒になったおかげで、優秀な女性編集者たちと知り合い、女の子もいい仕事をするんだね、と発見して、人生を見る目が少し広くなったのではないかと思います。また、子供たちがそれぞれ市民生活を営み、子供を育て、いまこうして喪の席に並んで坐《すわ》ってくれたことも、川野には嬉《うれ》しいことだろうと思います。

ちょっと前に私は運命をよく見る、という尼さんに見てもらいましたら、〈あなたはいまのご主人と来世《らいせ》でも一緒だね、また夫婦だよ〉といわれました。ああ、夫婦は二世《にせ》、といいますものね、と私は何気なくいいましたら、〈いえ、違う。いまが二世で、三世もあなたがたは夫婦ということ〉

えーっ、と私、そのとき目の前が真っ暗になりました。また変りばえしない人生なのか。(笑)もういいです、二世で、といったら、

〈きまってることだから仕方ないね〉……

でも今では、生れ変ってどこかの町角で、これまた生れ変ったおっちゃんに、〈中途半端と中途半端が二つ寄ったら満タンになるやないか〉と、くどかれているかもしれないと思いますと、(笑)また、たのしい思いがしないでもございません。

本当に皆さま、川野純夫にお寄せ頂きました暖い熱いお志、友情、ありがとうございました。おっちゃんもまた、皆さまにこれからいいことがありますように、と、皆さまのお守りになってくれることと思います。

皆さま、本当にありがとうございました。

——私はこれを、何も見ないでしゃべったのだった。喪主挨拶というのはそういう

ものだろうと思って。

　ところが一般の焼香がはじまっているときすでに、さっきの喪主挨拶を「文藝春秋」本誌に掲載させてほしい、とヒワちゃんがいってきた。

〈えっ、メモもなしにしゃべっていたのに……〉

といっていたら、ミド嬢が、藤本さんの弔辞をテープに入れたあと、ついでに私のもとっていたことがわかり、テープ起こしをして送る約束になってしまった。

　お棺の中は花がいっぱい、私は眠っているような彼に、心でいう。

〈いやー、人間、葬式でもたのしめるもんやねえ、どう、笑ってもらったでしょうが〉

　お棺の中に「昭和歌謡集」を一冊入れた。これは「私家版」の非売品で八十ページばかりの小冊子、私と彼の好きな歌をあつめたもの。タイトルの小見出しだけで、中身も想像できるというもの、

「なつかしの寮歌・校歌」「古き学び舎《や》のうた」「ああ戦いの最中に」「歌は世につれ……（演歌その他）」となっている。

　昔、いっしょに酒を飲むために結婚しよか、と彼が言い寄っていたころ、

〈お酒飲んだら歌が出なくちゃ。歌うの、きらいな人と一緒にいたってつまんない。ところが、意外と、世の中には大《だい》の男が声あげて歌えるか、なんていうのが多くてね。カワノさん歌う？〉

といったら、彼は胸を張って、

〈おお、歌うでェ。「人生の並木路」や。そういうあんたはどやねん〉

〈こっちは「旅姿三人男」だよっ〉

〈よかった〉――なんて。

ウチへ飲みにくる客たちにも、この本を進呈して、歌うことを強要した。彼が昔、よく歌ったのは、(「人生の並木路」もさりながら)「薩摩兵児《へこ》の唄」と副題にある、鹿児島大学ボート部の歌、「ボートの進行」だった。いつか私もおぼえてしまった。

〽ボートの進行／クラッチ音高く／汐風《しおかぜ》身にしむ／今日の船出……

いつか、雨が降り出している。棺は男たちに担がれ、甲南の焼き場へ向う。

〽磯《いそ》浜御殿を／左手《ゆんで》にながめ／さしてゆくのは／第三台場……

さしてゆくのが彼でよかった。私があとへ残ってやることができてよかった。もし彼が残ったら、台車に乗せられて綺麗《きれい》な私の白骨が出てくるのに堪えられなかったんじゃないか。

〜ボートの中には／桜か梅か／二人の美少年が／二挺櫓《にちようろ》を押せば……。

係りのおじさんは、骨壺《こつつぼ》へ入れる順番を指図してくれる。外は氷雨で寒いが、骨はなお仄暖《ほのあたたか》い。とても綺麗に、大切なお骨がそろったね、とおじさんはほめてくれる。再び会館へ戻り、身内だけでお経をあげてもらわねばならない。還骨経、というそうだ。……

一月二十一日（月）

葬式のあとが、こんなに多忙とは。朝日・日経の新聞連載は待ったなし、だし。何より急がれるのは「文藝春秋」さんに求められた〈喪主挨拶〉のテープ起こしだ。原稿用紙に書きうつすと十五枚あった。すぐヒワちゃんにFAX。

昨日は読売新聞の取材、わりに長くかかった。

今日の午後、姪《めい》のマリが来たので、ゆうべ整理しておいた写真を渡す。彼の写真集を作ってお世話になった方々やご厚誼《こうぎ》を頂いた方々（もちろん一緒に写真におさまっていられる）に配ろうと思ったのだった。〈カモカのおっちゃん写真集〉とした。

写真集は二種類。身内や子たちにやる〈お父さん写真集〉、これは家族旅行や、お茶の間で家族談笑の図、それに一家で、お正月に近くの神社へお詣《まい》りしたときのものやら。アルバムから剝《は》がし、私が説明をつけた。

一方、友人・知己に配る〈カモカのおっちゃん写真集〉の扉には私はこう書いた。

「どの写真も、おっちゃんは笑ってるか、飲んでるか、唄ってるか、です。

つくづく、南西海上諸島生まれのヒトだなあ、と思いますね。

でもおっちゃんのためにひとこと。仕事にも、まじめ、熱心でしたよ。

おっちゃんは、みなさんが大好きでした。

おっちゃんの友情のあかしに、ささやかな写真集を、お手もとに贈ります。

聖子」

このページに、漫画家・高橋孟さんが描いて下さった、私と彼のイラストを配してもらうことにした。〝カモカのおっちゃん〟という名称と、〝もうさん〟のイラストは分ちがたいイメージなんで。

彼の若いころは、苦《にが》み走ってちょっとした男ぶり、といえなくもないが、つまりそれは、まじめな会合の集合写真で、プライベートなスナップではないから、唇をきちんと引きむすんでいる。このころの彼を、私は知らないわけである。

私と結婚後は、にわかに写真量が多くなり、しかも笑顔の写真が多くなった。思うに、昭和三十年代後半から大衆が簡便に扱える安価なカメラが、どっと出廻ったせいだろう。近所の医師《せんせい》がたとゴルフに興じている彼、学友との同窓会。彼は心おきなく、笑っている。あるいは私の担当編集者たちとの交歓。

神戸の家でも伊丹でも、仕事の打ち合わせが終るや否や、酒になる。彼は必ず、酒《さか》壜《びん》を抱えて〈すみましたか〉とにこにこしてやってくる。〈主宰者の席〉と一同《みんな》は諧《かい》謔《ぎゃく》していたが、奥まった席が一つ、彼のためにいつも空けてある。彼がそこへ坐ると、酒宴が始まるのであった。取材旅行も彼の仕事の都合つく限り、同行してもらった。連載の終った打上げ会なんか、誘うと喜んで来た。どの写真の顔も、喜色あふれんばかり。もともと顔はコワモテ風だが、人づきあいの悪い男じゃなかった。

作り笑いやお愛想笑いでない、こんな笑顔になるために人は年を重ね、人生はあるのだ。――と思わせられる顔。人生の後半生をそんな環境へ置いてやることができて、つくづくよかったと思う。〈私の思いあがりではなく〉

昭和六十年代はじめ、健康を害して診療所を閉めた時も、〈思い残すことはない〉と彼はきっぱりいっていた。町内の医院を見ると、たいてい世襲で、息子さんが若先生になって跡を襲《つ》いでいられるが、ウチは息子たち婿たちみな、サラリーマンになった。しかし医業は弟が継いだ。十六、七も年の離れた弟の、〝お父さん役〟を、彼は若年からさせられていた。老けてみえる彼は、弟の学校の父兄会に出席すると、最初から教師《せんせい》に〈お父さん〉と呼ばれたそうである。〈お父さん〉は学費の面倒を見、弟を医者に仕立てた。〈思い残すことはない〉と彼がいうのは彼の本音であろう。虚勢を張ったり負け惜しみなんかいう気は微塵《みじん》もない彼だから、自分の人生に心から自足しているのだろう。〈私はまだ未熟で、人生に不足をいったりするが〉

――さて、そんな写真集を、私は印刷屋さんで頼むつもりであったが、

〈あたしがパソコンで作ったげる〉

と姪はいう。私は機械に疎くて、携帯も持っていない。〈それを人に嗤《わら》われると、ケータイはお付きに持たせてる、と私は茶化してしまう。事実、ミド嬢の携帯はよく

活躍している〉

〈ただちょっと、ヒマかかるかもしれない。急がないわよね?〉

〈ぜんぜん、あんたも忙しいんでしょ〉

姪のマリは勤務歯科医で、夫の内科医ともども多忙なはずなのに、なぜか近ごろの若い人々は忙しそうな顔はしていない。私のような年代の人間のほうが、いつも追いたてられる感じで、イライラしている。人生のゴール間近と思うせいかしら。

〈ううん、そんなことないけど、編集のレイアウト、いろいろ考えたりするからね〉

——たくさんの写真を持って帰ってくれた。

若いころの写真から、彼のラストバースデイとなった八月三日のパーティの写真まで。そういえば、八月三日にちなんでヤミの会、というのを、担当女性編集者をあつめて（男性も数人、加わられる）毎年、していた。

それから何かにつけ、東京・大阪でパーティをしたっけ。編集者たちが盛大に集まって下さった。〈すみれパーティ〉と名付けた私の還暦パーティ（'88、東京・山の上ホテル）、〈二人三脚パーティ〉と銘打った銀婚式パーティ（'91、伊丹・伊丹第一ホテル）、〈夢200パーティ〉は著書二百冊のお祝い（'93、東京・山の上ホテル）、

〈桃花パーティ〉は私の古稀《こき》の祝いだったけれど、〝古稀〟では厳粛すぎるので、〝桃花パーティ〟とした。（'98、伊丹・伊丹第一ホテル）

よく何べんも人が集って下さったものだ。

〈まあ、よう、遊びはりましたデ〉

なんて、なまいきチビが口を出す。自宅でのパーティでは、部屋も庭も人であふれ、チビもアマも人の手から手へうつって酒のしずくに濡《ぬ》れ、てんやわんやの騒ぎだった。

チビはそれを思い出して皮肉っている。

遊びに遊んで、彼を七十七歳まで生かせてやったのだから、まっ、いいか。冥界《あっち》で彼も、

〈そういうこっちゃ〉

とうそぶいているだろう。

一月二十三日（水）

四時、伊丹第一ホテルで、古川薫さんと、田中絹代についてのご本につき、対談。古川さんはこの程、『花も嵐も――女優・田中絹代の生涯』という評伝を上梓《じょうし》されたので、それについてである。リアルタイムで子供時代、彼女の主演映画「愛染《あいぜん》かつら」を見た私は、このご本が非常に面白かった。田中絹代を語ることは日本映画史・昭和史を語るということでもあり、日本近代女性史にもなる。下関生れの古川さんは、同郷人である田中絹代の「弁護士になったような感じ」で暖かく書いていられる。「けっして美人ではないが」と必ず定冠詞でいわれる女優さんだったが、映画をみているうちにだんだん美しくみえてくる人。私はそのほうが、ほんとの役者さんではありませんか、といった。絹代が最後に建てた家は淋《さび》しい海岸の断崖《だんがい》上にあり、その話を伺うのも面白かった。晩年、身内をみな亡くした彼女の孤独感が、そんなかたちをとったのではないですか、と私がいうと、古川さんは〈〝嵐が丘〟ですね〉といわれ、面白い対談だった。

場所は塚口のすっぽん屋〈遠山〉で、そのあと武庫之荘《むこのそう》まで足を延ばしてカラオケバー〈気まま〉でカラオケ。(何だかいっぱい唄った気がする。例の〝河内男ぶし〟は無論)伊丹まで戻り、古川さんや編集者さんたちが泊られる第一ホテルでカクテルを飲んで、締め。ここのバーは品格ある重厚なバーで、伊丹に過ぎたるものというべし。ここは私のために〈プリンセス・セイコ〉をメニューに入れてくれている。一同、それを飲む。さっぱりしていい、と好評だった。

一月二十五日（金）

大阪リーガロイヤルホテルで五年続いている古典の講演の日。今日は『宇治拾遺《うじしゅうい》物語』であるが、彼の介護や死んだことは、長い馴染《なじ》みの聴衆《みなさん》、よくご存じのことではあり、ご心配かけまして、という感じで、彼の最期とお葬式の報告をした。彼は車椅子ながらまだ元気なころは、ここの講演も後の席で聞いていた。（ご主人先生、眠っていらっしゃいましたわという、隣席の夫人の報告もあったが）〈おっちゃんの人生信条は、「いやなことしない」というものでした。それで通ったんですから、結構人《じん》、というのはやはりこの世にいるんですね〉という私の結論、みなさんは思い当るのか、笑っていられた。

さて『宇治拾遺物語』のお話は『今昔《こんじゃく》物語』と共通するお話も多いけれど、ずいぶん面白いのもある。芥川龍之介の『芋粥《いもがゆ》』の原話もあるし、都の姫君を攫《さら》って逃げた〈多気《たけ》の大夫《たゆう》〉（巻三、「伯《はく》の母のこと」）の話もある。日本の「千夜一夜物語《アラビアン・ナイト》」みたいに興深い話が盛り込まれている。いろんな話をした中で、おわりに藤原忠家《ただいえ》（道長《みちなが》の孫）のお話。名家の貴公子である忠家は、ある夜、色好みと噂の高い派手な美女と語り合ううち、月はよし、夜は美しし、心そそられ、思わず女を引き寄せる。——あらお止しになって、と女がなまめかしく身をくねらせた拍子に、これは何としたこと、美女は音高くおならを放ってしまう。原文では、「女房はいふにも堪へず、くたくたとして寄り臥《ふ》しにけり」——この、くたくたがいい。貴公子のほうもショックで茫然《ぼうぜん》とする。何てこった、と世がはかなくなった。もう出家したい、と思い、その場をのがれ、少しゆくうちにふと、〈待てよ〉と思う。〈あの女が放屁《ほうひ》したからといってなんでおれが出家しなきゃならんのだ〉と思い返し、一目散に走って帰ったというお話。女のそのあとは誰も知らない、と。——この終り方もいい。

王朝は男女関係の小咄《こばなし》の宝庫で、講演のあいだ、笑い声が絶えなかった。

今日はお花やお香奠《こうでん》を下さった方もあった。新潮社の八木さんたちとお茶を飲んで散会。

お葬式後の講演デビューとしては上々。帰宅したら、スヌーたちが拍手してくれた。明後日は二七日《ふたなぬか》だが、二十九日には福岡で講演がある。前途に山積する仕事を思えば涙の出るヒマもなく、〈おじさん、忙しいんだぜい、アタイは〉と彼にいう。涙にかまけてるひまもない。

二月一日（金）

「女性セブン」の取材。笑い声がよく出て面白かった。だって私が考えたこともない質問をするんだもの。カモカのおっちゃん、何か遺言、なさいましたか？　なんて。〈遺言、なんて、そんなタマじゃありませんよ、おっちゃんは〉（笑）

おっちゃんにプロポーズされたとき、すぐイエスでしたか。

〈とんでもない、あっちいけー！　しっしっていう感じ〉（笑）

最後まで入籍なさらなかったのはなぜ？

〈いや、おっちゃんは、ちゃんとしとけよ、っていってたけど、あたしが仕事が忙しいものだから、そのヒマもなくて。区役所の場所もわからなかったし、四人の子供の世話も大変だったし。そのうち私の年収が彼より多くなってきたので、向う、何もいわなくなっちゃった。小松左京さんにその話したら、〝エライ奴ちゃな、フツーの男は女房《よめはん》の収入多うなったら、早《は》よ、籍入れんかい、と、せかしよるけどな〟なんてほめてらしたわよ〉(笑)

今日は私の好きな〈ミズ・レイコ〉の紫のドレスを着た。編集者さんもカメラさんも笑い通し。

二月三日（日） 三七日《みなぬか》

日曜なので、皆、わりに集ってくれた。マリや、長女のところの中学生・フミちゃんやら。若いマサくんやユキさんも来てくれて、家中、若々しい気分がみなぎり、法事があかるくなってよかった。

二月七日（木）

伊丹のホテルで藤本義一さんと、「致知《ちち》」という雑誌に、「我流古典勉強法」というタイトルで「古典のおもしろさ、奥深さ」について語るというもの。藤本さんは西鶴《さいかく》研究のプロでいられるので、お話が面白かった。王朝の『今昔』や『宇治拾遺』は、そのまんま、大阪落語やな、という話。子供に百人一首をおぼえさせようと私がいえば、藤本さんは算盤《そろばん》とあやとりを教えたい、と。これが右脳と左脳、両方一緒に動かすんだ、とか、古典の暗誦《あんしよう》やら子供教育論になった。〝伊丹清談〟とでもいうべき対談、とても面白かった。

二月十七日（日）

五七日《ごなぬか》である。その上に、お仏壇の入魂式をして頂かなくてはならない。駅前の仏壇屋さんでえらび、運んでもらった。今日びらしく、洋間にも適《あ》うシンプルな仏壇、過剰装飾は一切ない。壁の一隅に、うまくはまった。浄土真宗は大体、簡潔な仕様で仏像も瓔珞《ようらく》もわが家のは一切なし、阿弥陀《あみだ》さまの小さなお絵像、〈南無阿弥《なむあみ》陀仏《だぶつ》〉のお軸があるのみ。お坊さまのお経とともに、赤い蠟燭《ろうそく》がしきりに燃えたち、それは私にも異様に思えるくらい、意志的な燃えかたをしていた。読経のつづくうち、なぜか私の眼に涙があふれ、（それは私の感情や意志に関係ないように思える）――だから、悲しくて泣くというのではなく、かといって不快な気分は無論なく、それだけ気持のいい涙だったが――涙は流れつづけた。ふしぎだなあ、彼の死に目にも、死後でも、こんなに泣いたことはないのに、――と、私はハンカチで涙を押えながら、気持の一方で、この異変を冷静に認識していた。

お寺サンを送り出してから、身内の一人のおばさんは、昂奮《こうふん》気味になった。

〈お蠟燭がパチパチ燃えましたやろ、スミオさん、喜んだはりましたんや〉

ミド嬢も、すこし、昂《たか》ぶっていた。

〈ええ、そうですわ、すごい大きな、〝気〟の流れがどーっと渦巻いて……〉

〈気？〉

〈――としか、いいようのない感じ、とても強いものを感じましたわ、厚みがあるんです。それが渦巻いてゴーというような感じでうれしそうに仏壇へ入ってゆかれました……〉

〈なに？　それ〉

〈だから、気、ですわ〉

ミド嬢は固執する。〈大《おお》先生の〝気〟ですわ、ハッキリきこえました、〝セイコ、ありがとうって〟……〉

〈なんで、そこへ、あたしが出てくンの？〉

〈だからお仏壇に祀《まつ》ってもらえて、大先生が喜んで、先生にお礼いってらっしゃるんです〉

〈そんな感じでしたなあ〉

と身内のおばさんも、黒ビーズの信玄袋からタオルハンカチを出し、目にあてた。

〈ようしてもろて、わたしらからもお礼いいます。スミオさん、それ、いいたかったんでっしゃろ〉

どうやら最も霊感の強いのがミド嬢で、おばさんはその次、私がいちばん感度は鈍い、ということになるが、そんな私でも、一種不可解な感動に打たれたからこそ、出たこともない涙が出てきたのだろう。

ミドちゃんとおそくまで、この超常現象について話し合いつつ、頂きもののバランタイン17年ものを飲む。超常現象にしろ、霊感にしろ、お酒は旨《うま》かった。今日、瀬戸内寂聴さんから、お花とお手紙頂き、恐縮する。

二月二十四日（日） 六七日《むなぬか》

いやもう、この月の忙しいことといったら。十日は徳島へ講演、千三百人入って、ぎっしりだった。でもみなさん愉《たの》しそうで、主催者側の徳島銀行さんにお礼をいってもらえた。このとき、銀行のトップの紳士方は、オトナの礼儀として、〈かたちをあらためて〉おっちゃんのお悔みをいって下さった。（私は朝日夕刊の連載コラム「ゆくも帰るも浪花の夕凪」にそれを書いた）そんなに忙しい中で、十三日は梅田へ、三谷幸喜さんの「彦馬がゆく」の舞台で笑った。岩波の『武玉川・とくとく清水』の原稿を出す。二十二日は、また大阪リーガロイヤルホテルでの講演、今回は〈杉田久女の見たもの〉『花衣《はなごろも》ぬぐやまつわる……』で私は久女を書いたけれども、〈久女の〉講演ははじめてだった。

今日、六七日に集ったのは、東京から帰ってきた私の弟と妹一家、長女一家。長女は帰りしな、手紙と金一封を置いて帰った。手紙には自筆で〈本当に、長い長い間、お父さんを見て頂いて、ありがとうございました。それから、お疲れさまでした〉十万円入ってた。

仏壇の赤い蠟燭のふしぎな〝気〟より、こちらのほうが私はコタエて、涙が出てきた。

三月三日（日）満中陰《まんちゅういん》

昨日、羽曳野《はびきの》までタクシーでゆき、七百人の前で『源氏物語』の講演。暖く晴れた日で聴衆の反響はとてもよかった。しかし新しい土地、往復の時間が割合に長くかかり、くたびれてしまった。

このごろ、いつも疲労感がとれない感じだが今日は快晴の納骨日和。満中陰とて子供たちの参加も多い。

お坊さまの読経のあと、みんなで焼香、同じような年頃の、長女の娘と次女の息子たちは昔から仲よく、中・高生になっても、押しくら饅頭《まんじゅう》をして、ぺちゃくちゃと囀《さえず》り交している。
　お坊さまを囲んで一同、ホテルで昼食、春らしい、タラの芽のてんぷら、豆御飯、鯛《たい》の刺身、など。微妙な日本料理の味なんかまだわからないだろうと思われる高校生・中学生・小学生たちが、〈とってもおいしい〉なんて口を揃えていう。
　午後、茨木市《いばらきし》にあるお墓へ、みんなで納骨に。横長の黒い御影石《みかげいし》に〈倶会一処《くえいっしょ》〉とある墓石、裏の〈川野純夫〉の字の赤は、すでに消されていた。見はらしのいい高台の端で、遠く都会《まち》のきらめきが早春の靄《もや》の底に望まれる。私はお骨《こつ》の一部を、小さい壺《つぼ》に分けていた。（それは衣裳《いしよう》部屋の棚のすみっこにある）
　彼は奄美生れの男だから、いつか、奄美へいくことがあったら、あの青い海にお骨を撒《ま》いてやろうと思う。孫たちは次々に、〈おじいちゃん〉の墓に手を合せている。孫に関心があったと思えないような彼であったが、内心どうだったか、わからない。血の熱いくせに、その愛情を表現・発揚しよう、というような、気持の小廻《こまわ》りはきかない人だった。単なる邪魔臭がりかもしれないが、彼一流のひそかな自制の美学だったかもしれない。

三月十一日(月)

三月は私の生れ月だけれども、税金月でもあるから、辟易《へきえき》する。税理士さんはもう長いこと、馴染《なじ》みの方にお任せしており、私としては、伝票をそろえるだけでいいのだが、収入のほうはともかく、支出伝票はたいへんだ。

この日の、この出費はどこへいった時のだろうと、手帖《てちよう》・日記・スケジュール表と首っ引きで調べないといけない。数字とキカイに弱い私、毎年の苦役である。

加えて昨夜から左半分の偏頭痛に悩まされ、バファリンを服《の》んだ。こんなことは、病《やま》い知らずの健康な私には珍らしい。今朝も残る頭痛を怺《こら》え、去年十一月・十二月の伝票を調べ、手帖を繰っていた。

だんだん切迫してくる彼の病状が、乱雑な文章(きれぎれのメモ)からもうかがえる。

そのうち、十一月一日のメモに、彼の言葉が書きとめてあるのを発見する。

〈かわいそうに。

ワシは　あんたの。

味方やで。〉

忘れてた。見て思い出した。

これが彼の、ラストメッセージだったのだろう。

ひょっとしたら、それを知らせるため、昨日から、頭痛を引きおこしてサインを発していたのかもしれない。

味方に、ついていてくれるっていうの？

ふと気がつくと、頭痛はおさまっていた。その代り、涙が出てきた。ありがとう、味方をしてくれるの。――私の涙は、ほかの人にはともかく、スヌーやチビの目をごまかすことはできない。

〈あーたん、まだ頭痛する？〉と心配するスヌー。〈頭より、もうちょっと下が痛いの〉

心、というべきか。〈心が痛むから涙が出るの？　涙が出るから、心が痛むの？〉とチビ。私はチビの首根っ子をつかまえ、尻《しり》を叩《たた》いた。チビは叫ぶ。〈おったーん。そこからぼくがみえますか。いじめられてる、可愛い、いたいけなぼくが〉

午後、「すばる」五月号のため、川上弘美さんと対談。伊丹シティホテルへ。「恋愛小説そもそもばなし」――サガンのこと、『センセイの鞄《かばん》』のこと、私の『私的生活』のこと、話が尽きず、食事のあと、ウチで十時半まで飲んだ。久しぶりにハレバレして楽しかった。人生はだましだまし、もっていくべし。十二時就寝。

〈終〉

日記という形で伝えたかったこと

林　真　理　子

この本のしょっぱなに私の名がある。

「林真理子さんが、ウチまで来て下さって、『週刊朝日』のための対談」

非常に名誉なことで嬉《うれ》しいが、その後がちょっとひっかかる。

「だいたいの対談が終ると雑談になり、同業者のこととて、いまは本が売れないわねえ、という話になる。真理子チャンにいわせると、私は本のいちばん売れた昭和五十年代六十年代にうーんと本を売って売り逃げした、とうらやましがったので笑ってしまった」

いくら私でも尊敬する大先輩に向かって、こんな失礼なことを言うはずはない。売り逃げというジョークをおっしゃったのは、田辺先生の方である。

これからしてもわかるように、この本は日記という形をとっているが、あきらかなフィクションである。ひとりの作家が、大きな真実を語るために、あえて日記という形をとった。この真実を語るために、日記という形が、最適であると、知らず知らずのうちに気づいていたのであろう。

伝えたいものを小説の形にしたくない。手記の整然として冷ややかなものも好みではない。時間の経過と共に、淡々と真実を伝えたいと、作者は日記という形をとったのであろう。その真実とは何か。

「人は誰もが老いて死んでいく。自分の愛する人も例外ではない」

作家はウソつき、ということは誰もが知っていることであろう。この日記を書くにあたって、田辺先生はこう記しておられる。

「今回、私にとってはじめての〈日記〉という表現の場を与えられたので、出来るだけ『蜻蛉日記』風でなく業務連絡帳風でもなく、〈よいことばかり　あるように日記〉でもなく、書いてみようと思う」

つまり日常を正確に淡々と書きますわ、と宣言しているわけであるが、すべて本当ではあるまい。田辺先生は、ご主人とお母さまに囲まれた穏やかで幸福な日常に、一筋の黒い影が射《さ》し始めたのを既に気づいていたと思う。

その頃ご主人は病いを得て車椅子の生活をされていたが、田辺先生の献身的な介護で旅行もすれば、夜ごとの酒盛りにも加わっていらしたようだ。

しかし不安を打ち消すことは出来なかったに違いない。

「この大切な人が、この世からいなくなる日が来るのではないか。そう遠くない日に」

田辺先生は筆をとる。日記という大きな文学が胎動を始める時だ。

六月十六日、田辺家は初夏のにぎやかなメニューが並ぶ。贅沢《ぜいたく》ではないけれどもいかにもおいしそうで、この家の豊かで温かい食卓がしのばれる。

「今夜の献立は、五目豆（わが家で煮《た》いたもの）、鮎《あゆ》の塩焼き、冷や奴《やっこ》、たこ酢、焼き茄子《なす》、という夏らしいもの。これに鱧《はも》の照り焼きとそうめんが加わると、即、大阪は天満の天神サンの夏祭の献立になる」

ご主人は病気以来口が重たくなっているけれども、

「時々、突っこみを入れるから油断ならない」

ちょっと憎まれ口を叩《たた》く、

「みんな、わッさり笑って、よく箸《はし》がすすむ、という按配《あんばい》」

幸福そうな情景が描かれている、そして八月に悪性腫瘍《しゅよう》が発見され、闘病の日々が始まるのだ。そしてその間の田辺先生の忙しさといったらどうだろう、執筆に加え、ものすごい数の講演にインタビュー、そして賞の選考会がある。私も同業者のハシクレだからわかるが、原稿を書くというのは確かに肉体労働で、頭も腕もフル回転させていく。なかなか書けない時は苛立《いらだ》ち、自分に腹を立て、うまく書ける時は集中力で書き過ぎてどちらも疲れる。サイン会をした日などは、読者の方に〃気〃を奪《うば》われ、倒れ込みたいほどだ。しかし田辺先生は、こうした仕事の後、病院へ行きご主人のめんどうをみられる。他に老いたお母さまの世話をし、留守宅に人を頼み、家にいる人々にしかるべきお給料を払いと、これを読んだ人は誰しもがため息をつくことであろう。何て大変なんだ。

しかし田辺先生が伝えようとしているのは、そんなやわな単純な悲惨さではない。

「いささかは　苦労しましたと　いいたいが　苦労が聞いたら　怒りよるやろ」

こう歌を詠み、自分に起こった現実を苦笑いしながら見据えようとする。これこそ田辺文学の真骨頂であろう。

私たち田辺ファンは、昔から本によって多くのことを先生から教わったのであるが、人生のいちばん苦く重たいものを笑って受け取めるというのもそのひとつだ。仕事とご主人の介護はなみたいていのことではなかっただろう。ひとつ間違えばお涙頂戴《ちょうだい》の手記になってしまうが、田辺先生はそんなことはなさらなかった。人はやがて老いていって、愛する人とも別れなくてはならない。しかしそれも味わわなければ、人生は完了したことにはならないのだ。私たちが目をそむけようとするこの事実を、田辺先生は水が浸《し》みていくように綴《つづ》ってくれる。それにはやはり日記という形態が最適だったのだ。

今でも思い出す光景がある。まだお元気だったご主人と田辺先生、そしてこの日記にもよく出てくる編集者の村田さん、私の四人でお酒を飲みに行った時のことだ。先生の家の近くの小さなスナックであった。漫才の今くるよそっくりのママが、ひとりでカウンターを切り盛りしているその店を、田辺先生はとてもお気に入りだったようだ。ご主人と二人、甘い声でカラオケをデュエットなさった。正直なことを言えば、ファンのひとりとして、「ご主人はどうしてこんなにイバってるんだろう。田辺先生ほどの大作家が、どうしてこんなにご主人に気を遣っているんだろう」と不思議に思わないこともなかった私であるが、肩を寄り添って歌うお二人を見ているとそんな気持ちは微塵《みじん》もなくなった。田辺先生はご主人の前では、完全に素に戻られているのだ。それは愛する夫にまめまめしく仕えることを喜びとする、育ちのいい昭和女の姿である。

やがて帰る時になり、タクシーを呼んでもらった。すると今くるよそっくりのママは、タクシーの運転手さんに、

「いつもありがとう」

とマイルドセブンをチップとして二箱渡したのである。車の中で、田辺先生はしみじみとおっしゃった。

「あのママは本当にえらい人やわ。こんな田舎の小さな店なのに、いつもきちんと綺《き》麗《れい》な着物を着てるの。その心根が嬉しいじゃないの。なかなか出来ることじゃないわ」

いつまでもあの夜のことを憶《おぼ》えている。人生の達人たちが集い、心を触れ合わせ、気遣いという刀をカチャッとやわらかく合わせた。そんな場に居合わせたことをとても幸せだと思う。

あの夜は田辺先生のありふれた一日であったはずだ。田辺先生はそういう人であり、そういう日々を過ごしてきたのである。

本書は平成十六年一月、小社より
刊行された単行本を文庫化したものです。

残《ざん》花《か》亭《てい》日《にち》暦《れき》

田《た》辺《なべ》聖《せい》子《こ》

平成18年 7月25日　初版発行
令和5年 9月15日　21版発行

発行者●山下直久

発行●株式会社KADOKAWA
〒102-8177　東京都千代田区富士見2-13-3
電話　0570-002-301（ナビダイヤル）

角川文庫 14314

印刷所●株式会社KADOKAWA
製本所●株式会社KADOKAWA

表紙画●和田三造

ISBN978-4-04-131434-0　C0195

◆◇◇

角川文庫発刊に際して

角川源義

第二次世界大戦の敗北は、軍事力の敗北であった以上に、私たちの若い文化力の敗退であった。私たちの文化が戦争に対して如何に無力であり、単なるあだ花に過ぎなかったかを、私たちは身を以て体験し痛感した。西洋近代文化の摂取にとって、明治以後八十年の歳月は決して短かすぎたとは言えない。にもかかわらず、近代文化の伝統を確立し、自由な批判と柔軟な良識に富む文化層として自らを形成することに私たちは失敗して来た。そしてこれは、各層への文化の普及滲透を任務とする出版人の責任でもあった。

一九四五年以来、私たちは再び振出しに戻り、第一歩から踏み出すことを余儀なくされた。これは大きな不幸ではあるが、反面、これまでの混沌・未熟・歪曲の中にあった我が国の文化に秩序と確たる基礎を齎らすためには絶好の機会でもある。角川書店は、このような祖国の文化的危機にあたり、微力をも顧みず再建の礎石たるべき抱負と決意とをもって出発したが、ここに創立以来の念願を果すべく角川文庫を発刊する。これまで刊行されたあらゆる全集叢書文庫類の長所と短所とを検討し、古今東西の不朽の典籍を、良心的編集のもとに、廉価に、そして書架にふさわしい美本として、多くのひとびとに提供しようとする。しかし私たちは徒らに百科全書的な知識のジレッタントを作ることを目的とせず、あくまで祖国の文化に秩序と再建への道を示し、この文庫を角川書店の栄ある事業として、今後永久に継続発展せしめ、学芸と教養との殿堂として大成せんことを期したい。多くの読書子の愛情ある忠言と支持とによって、この希望と抱負とを完遂せしめられんことを願う。

一九四九年五月三日